D1267941

TRAVELINGUE

MARCEL AYMÉ

Travelingue

GALLIMARD

I

Le mariage fut célébré à Saint-Honoré-d'Eylau. Y assistaient, pour le principal, sept grosses têtes de l'industrie lourde, cinq personnes nobles, un ministre et deux généraux. Le voyage de noces se fit en Égypte et dura deux mois au bout desquels le couple se retrouva déjeunant rue Spontini chez les parents de la jeune femme où étaient réunies huit personnes, tout compté. La pièce était nue, sans autres meubles que la table et les sièges. Les murs, couleur de frigidaire, étaient également nus, sauf que le plus grand panneau portait dans un coin un minuscule tableau représentant trois cerises sur une soucoupe. On sentait très bien que tout ça avait coûté un prix fou. M. Lasquin, le beau-père, homme de cinquante ans, crâne chauve, teint vif, fine moustache blanche, l'air capable, distingué, professionnellement sérieux, le beau-père, donc, regardait son gendre avec la gêne de ne pas bien le reconnaître et luttait contre une soudaine faiblesse de sa mémoire, qui lui semblait liée à un mal de tête survenu au commencement du repas. Voilà ce qu'il pensait, non sans efforts :

« Beau garçon, belle santé, rien à dire sur la denture, bien élevé aussi, diplômé de je ne sais plus quoi, ayant derrière lui les aciéries Lenoir et le groupe... non, pas de groupe... Des qualités, beaucoup de qualités. En somme, un excellent parti et qui ne m'a pas coûté les yeux de la tête, puisque la dot, pour une part, continue à rouler dans mes usines. Il me semble... il me semble... Voyons... beau garçon, belle santé, rien à dire sur la denture... »

Sans s'en apercevoir, il recommençait à dévider le même rouleau dont il laissait, à chaque tour, se perdre quelques mots. Il se rappelait avoir observé chez son gendre, au temps des fiançailles, certains défauts de caractère et s'irritait maintenant de ne pas retrouver dans sa mémoire des griefs pourtant familiers. L'effort de se souvenir fit perler la sueur à ses tempes et, en regardant le garçon, il eut le cœur serré d'anxiété. Le nom même de Pierre Lenoir se brouillait dans sa tête pesante. Entre eux deux, il sentait s'effacer un chemin de compréhension, s'évanouir un lien dont la ténuité annonçait la rupture définitive. Brusquement, il y eut dans ses oreilles un bruit de déclic et ce fut pour lui comme si Pierre Lenoir, cessant d'exister, s'était durci à son regard et à son esprit. Ce passage de l'être à la chose ne laissait plus qu'une forme vaine, impénétrable. Percevant encore qu'il manquait un gendre à son univers, M. Lasquin en souffrit, car il était homme d'ordre, avec un sens exigeant de la continuité. Il passa sa main sur son front pour en chasser une douleur lourde qui venait de naître entre les deux sourcils et se mit dans la conversation qui était à l'Égypte. Pour éprouver son étrange découverte, un peu aussi dans l'espoir de rompre le charme, il se contraignit à interroger la forme hermétique de Pierre Lenoir sur la pyramide de Chéops.

— C'est vraiment très bien, dit Pierre. Nous y étions avec Mac Ardell, vous savez, le fameux trois-quarts de l'équipe d'Écosse. Pour moi, c'est un des hommes les plus extraordinaires d'aujourd'hui. Il est vraiment fait pour tenir la place. Je me rappelle, justement, devant la pyramide, je ne me lassais pas de le regarder marcher. On sent que ce type-là a une détente dans les jambes...

M. Lasquin vit remuer les lèvres, entendit proférer des sons, mais ne put rien saisir du contenu de ces paroles. Il s'y était presque attendu et néanmoins, il eut très peur. Sous son front, la douleur se faisait plus pesante et semblait gagner, propageant une sorte d'engourdissement. Il voulut encore la chasser, d'un geste insistant. Pierre se pencha pour regarder Micheline, sa jeune femme, qui était à trois chaises de lui et ajouta :

— Tu te rappelles Mac Ardell à Chéops ?

Micheline répondit par oui, avec un sourire poli, mais sans marquer qu'elle s'intéressât au souvenir de Mac Ardell. A sa gauche était assis un ami de son mari, Bernard Ancelot, que Mme Lasquin avait eu l'attention d'inviter. C'était un garçon de vingt-quatre ans, d'un visage agréable et sérieux, presque triste. Son regard, empreint d'une grande douceur, s'animait parfois d'une flamme agressive, comme s'il se souvenait tout d'un coup d'avoir à se méfier. Il parlait peu et admirait honnêtement la femme de son ami. Il la voyait si belle, tout près de lui, la blonde, l'incarnate, il se représentait si vivement l'équilibre de ce jeune corps qu'il ressentait un peu d'amertume de ce que tant de joie et de pureté fût, en somme, bêtement réservé. D'autre part, il observait avec un plaisir désintéressé que Micheline n'avait pas cet air d'orgueil naïf et vulgaire qu'on voit si souvent aux femmes, dans les premiers temps d'un amour satisfait, lorsqu'elles se sentent sous le regard de l'amant.

Les autres convives, tous de la famille, ne remarquaient rien, sauf que Micheline semblait heureuse. Sa mère répétait qu'elle avait bonne mine, ce dont elle était reconnaissante à Pierre. Avant le mariage, elle avait tremblé à entendre dire qu'il n'y a point de sûreté avec la jeunesse de maintenant et que l'homme se déprave de plus en plus jeune. Au retour de sa fille, elle avait sollicité des confidences, épié quelque secrète colère en pensant aux mouvements de sa propre rancune dans les premiers temps de son mariage, alors qu'elle jetait sur son mari, à la dérobée, un coup d'œil craintif et révolté, comme il lui arrivait du reste encore, bien qu'à présent elle s'inquiétât plutôt de ce que l'agresseur se fût définitivement apaisé. Or, il n'y avait point de mystère dans l'attitude de Micheline, point de réticences non plus dans ses réponses. Elle rentrait d'Égypte en belle santé, mais pas plus tourmentée, pas plus secrète que si elle fût allée en excursion avec une vieille gouvernante. En réfléchissant à cette étonnante sérénité, Mme Lasquin se persuadait tout doucement que son gendre était incomplet à certains égards et elle l'en aimait bien mieux.

Luc Pontdebois, le grand écrivain, cousin germain de M. Lasquin et comme lui de la cinquantaine, promenait autour de la table un regard lucide, pas très bienveillant, dans lequel paraissait un peu de la sécheresse enjouée qui était dans son habituelle manière d'être, si étrangement différente de ses écrits. C'était un homme plutôt chétif, pas très bien bâti, qui portait une grosse tête avec des yeux vifs et un grand nez mou. Romancier catholique, toute son œuvre reflétait un dieu vétilleur et un peu éteint, n'ayant point de racines en ce bas monde. Dans la conversation, Pontdebois aimait à professer des opinions hardies, tout en faisant sonner qu'il était apparenté dans la haute industrie. Ces modestes audaces le rendaient admirable à beaucoup. Les gens de son monde le craignaient comme s'il avait eu en poche les clés de la révolution. Les écrivains d'origine épicière tenaient d'autant plus à ses suffrages qu'il semblait faire un long chemin pour venir jusqu'à eux.

Il surveillait particulièrement Micheline qui l'irritait plus que les autres ensemble, à cause de sa beauté blonde et bien poussée. Vers 1900, une adolescente ardente, mais mal assurée, lui avait valu de graves blessures d'amour-propre et l'âge ne l'avait pas guéri d'une secrète timidité à l'égard des femmes jolies. M. Lasquin, qu'une liaison artiste avait formé à la pensée freudienne, disait qu'il y avait du refoulement dans le cas de son cousin. En tout cas, Pontdebois n'avait son aise qu'avec les femmes trapues, aux reins larges, aux cuisses courtes, de préférence poilues. Son tort était de ne pas avouer un penchant légitime et de le dissimuler comme une tare. Dans ses romans, les femmes préférables étaient d'un type flexible et élancé. Sans bien le savoir, il en voulait à Micheline d'incarner avec tant de paisible élégance un remords de conscience littéraire et cherchait volontiers les revanches que lui offraient les hasards de la conversation. Malheureusement, ses mots les mieux aiguisés, qui eussent fait merveille dans beaucoup de maisons de sa connaissance, n'étaient compris ni de Micheline, ni de personne ici. Ces cousins Lasquin, Pontdebois les aimait bien, mais ils avaient vraiment l'écorce épaisse. Même chez Micheline, pensait-il, et chez son frère Roger, ce gamin de quatorze ans à l'air trop sage, la sève profitait tout entière au corps. Ces deux enfants étaient de très beaux animaux, mais pour les choses de l'esprit, ils touchaient à tout comme avec des moufles en cuir. Quant aux parents, c'était bien pis. Ils n'avaient même pas cette déférence aux jeux de l'intelligence, si émouvante chez certains enfants du peuple, dont les hommages maladroits savaient trouver un chemin jusqu'au cœur du grand écrivain.

Et ce n'était pas, à son avis, le commerce de l'oncle Alphonse qui pouvait engager la famille dans une voie plus spirituelle. Cet Alphonse Chauvieux, présentement assis entre Pierre et Bernard, était le frère de Mme Lasquin. Il occupait dans les établissements de son beau-frère une situation qui, pour n'être pas de première importance, lui assurait un gain annuel de deux cent mille francs. C'était un homme de quarante-cinq ans, d'une taille moyenne, aux épaules et au cou puissants. Avec des traits plus mâles, il ressemblait à sa sœur et à sa nièce et ses yeux, d'une couleur violette, étaient ardemment mélancoliques. Il pensait lui-même que tout son mérite ne lui eût jamais valu seulement une place d'aide-comptable dans une boutique et il regrettait parfois la vie de pion et de sous-officier qu'il avait menée pendant plus de vingt ans qu'il était resté brouillé avec sa famille. Pontdebois le méprisait un peu, mais le tolérait sans impatience. Dans certaines maisons où l'on savait apprécier dans ses moindres manifestations l'indépendance de son esprit, il aimait à citer le cas de ce dévoyé à qui l'on flanquait deux cent mille francs par an. Les dames compréhensives en faisaient des ricochets de cinq minutes, admirant qu'il fût impitoyable même avec les siens. Alphonse Chauvieux, lui, ne méprisait pas l'écrivain. Il n'éprouvait à son endroit que de l'indifférence, sauf que le son de sa voix accrocheuse lui donnait un rien sur les nerfs. Il n'aimait pas non plus ses livres.

Agacée par Pontdebois qui la harcelait à propos des Pyramides, Micheline finit par répondre :

— Les grands paysages historiques, quand on n'a pas la chance de les voir avec des yeux d'écrivain, c'est bien monotone.

Comprenant qu'une telle réflexion était peu convenable au retour d'un voyage de noces, elle devint rouge. Autour de la table, il y eut aussitôt une conspiration tacite pour faire oublier ce que chacun jugeait être une simple maladresse, n'engageant rien de profond, mais Pontdebois dit à Pierre Lenoir :

— Les jeunes femmes d'aujourd'hui sont d'une lucidité extraordinaire. Vous voyez, l'amour n'imprègne plus le décor. La jeune épousée bâille devant les Pyramides. Les amants de Venise ont raté leur voyage s'ils ont laissé le kodak à la maison. C'est la fin des fugues sentimentales et des voyages de noces.

Micheline devint un peu plus rouge et tout le monde fut à cran contre Luc Pontdebois. Voyant converger sur l'écrivain les regards de toute la famille, M. Lasquin se prit à l'examiner avec l'attention dont il était encore capable. Sa tête était devenue très lourde. Des points noirs passaient devant ses yeux. Par surcroît, l'opacité de son gendre, persistante, gênait l'effort de sa réflexion, comme si, à certain relais, la liaison eût manqué. Il ne savait plus que sa fille fût mariée et le sens de cette réunion lui échappait déjà. Plusieurs fois, il lui vint à l'esprit de quitter la salle à manger en s'excusant sur cette douleur qu'il sentait à la tête, mais sa résolution se perdait, par quelque détour, dans la forme impénétrable de Pierre Lenoir.

Cependant Pontdebois se félicitait d'avoir fait l'unanimité contre lui, et son visage laissa paraître quelque satisfaction. M. Lasquin, qui le regardait avec une application désespérée, vit sa bouche se pincer d'un sourire, son front changer de plis plusieurs fois. Comprenant que ces jeux de physionomie correspondaient à un état intérieur, il essayait de retrouver sa longue expérience des visages et des mimiques. Mais elle était dans sa tête comme un dictionnaire de cauchemar où les définitions eussent divorcé d'avec les mots. Le visage de Pontdebois, animé, était pourtant inexpressif, fermé comme le masque d'une idole étangère. M. Lasquin, luttant contre un mouvement d'épouvante, se prit à murmurer :

— Luc... Luc...

Sa voix suppliante se perdit dans le bruit de la conversation. Pontdebois, habitué à surveiller un auditoire et prompt à saisir les réactions même individuelles, vit remuer les lèvres de son cousin et se tourna vers lui. Il crut remarquer que le regard était un peu étrange, mais les traits du visage étaient aussi calmes qu'à l'ordinaire et leur immobilité n'avait rien d'inquiétant. « La tête d'un homme bien élevé surpris par un rhumatisme », pensa-t-il. M. Lasquin eut un léger coup de menton en avant, pour mieux retenir le regard amical qui se posait sur lui. Pendant une fraction de seconde, il eut la sensation de leur parenté, puis il entendit encore un bruit de déclic et il y eut entre eux rupture totale de contact. Pontdebois était devenu une forme neutre, pareille à celle de Pierre Lenoir. Aux yeux de M. Lasquin, l'un et l'autre figuraient comme deux statues du Commandeur, mais dépouillées de toute espèce de symbole, et d'une substance étrangère qui n'avait même pas l'humanité d'un mystère. Du même coup, le cycle des idées familières qui empruntaient toutes quelque chose au corps familial devint un peu plus incertain. Outre une pesanteur dans toute la tête, M. Lasquin sentit bientôt autour du front un cercle très douloureux, comme si quelqu'un se fût efforcé de lui partager le crâne en deux avec un fil à couper le beurre. Voyant M. Lasquin préoccupé, Pontdebois lui demanda ce qu'il pensait de la situation politique en ce printemps 36.

— Hier soir, il y avait déjà pas mal de remous sur les Champs-Élysées. J'ai vu la police intervenir plusieurs fois et je ne suis sûrement pas resté cinq minutes. Je me souciais peu d'attraper un mauvais coup, tu penses bien.

M. Lasquin ne témoignait pas qu'il eût entendu. A la rigueur, on pouvait croire qu'il méditait les paroles de son cousin. Pourtant, cette absence commençait à paraître des plus singulières et Pontdebois voulait faire part de ses inquiétudes à l'épouse, lorsque Victor, le maître d'hôtel, vint à elle et l'entretint à mi-voix. La cuisinière avait eu des déboires avec le canard à l'orange et le service devait attendre un peu. Mme Lasquin fut très frappée de ce contretemps.

— Victor, vous ne me dites pas tout, murmura-t-elle. Le canard est brûlé. Je suis sûre que le canard est brûlé.

— Je jure à Madame que le canard n'est pas brûlé puisqu'il lui manque de la cuisson, justement.

L'entretien se prolongeait. M. Lasquin s'y intéressa presque avidement. Il essayait de ressaisir sa famille dans ce tableau hautement représentatif de sa vie domestique et de sa situation sociale. Mais le sens du tête-à-tête se déformait en même temps que la personne mouvante de Victor. Le maître d'hôtel devenait le délégué du personnel de l'office, puis le délégué du personnel ouvrier, le délégué du gouvernement, le délégué d'un syndicat, le délégué d'un groupe d'initiales qui dansaient sur les grands murs nus de la salle à manger. Enfin, M. Lasquin entendit encore un déclic et Victor, cessant d'être délégué et quoi que ce fût de vivant, ne compta même plus pour mémoire. La maîtresse de maison semblait occupée avec une sorte de mannequin que la vie contournait sans le pénétrer et qui n'avait point de présence sensible.

M. Lasquin souffrait toujours des mêmes violentes douleurs, mais il en était distrait par la sensation d'avoir la tête bourrée d'une substance laineuse à travers laquelle les idées cheminaient de plus en plus lentement. Son regard se posa sur Bernard Ancelot et il s'étonna un peu de voir cet inconnu. Seule, l'existence de Pierre Lenoir aurait pu lui expliquer la présence du jeune homme. Il fut presque soulagé d'en être débarrassé par un nouveau déclic qui entraîna en même temps la métamorphose d'Alphonse Chauvieux.

Il se trouva seul avec sa femme et ses deux enfants. Réduit à ces trois êtres auxquels il se sentait solidement attaché, le monde lui parut d'abord plus sûr, formant une tache de lumière vigoureuse sur le noir de l'oubli. Pour confirmer la stabilité de cet univers familial et en produire un témoignage concret, il voulut parler à Micheline, mais ne trouva pas les mots. Effrayé par son échec, il se tourna vers Roger, puis vers sa femme, sans réussir à émettre un son. Mme Lasquin lui parla avec une voix étrange, qui venait de très loin, et prononça des paroles inintelligibles. Ses enfants reculaient dans un demi-jour et semblaient rapetisser et s'amenuiser. Il se sentit couler vers le fond d'un abîme et chercha où se raccrocher. La salle à manger et les convives avaient disparu. A force de volonté, il parvint à ouvrir dans les ténèbres de sa mémoire une vallée étroite. Un moment, il y suivit sa famille en remontant de palier en palier.

Ce fut d'abord dans l'encadrement d'une porte que lui apparut Mme Lasquin en tenue de ville et accompagnée de ses deux enfants. Micheline était une fillette de douze ans, en jupe courte et en chaussettes. Roger, un garçon de cinq ans, avait un marin d'été et des gants blancs. L'image fit place à une autre plus ancienne. Micheline, assise sur les genoux de sa mère, balançait sa tête de gros bébé blond. Ayant déjà perdu le souvenir de Roger, il sentait néanmoins lui manquer quelqu'un et tâtonnait dans sa mémoire. Mais une autre apparition lui fit oublier également Micheline. Sa femme, très jeune, en robe fourreau d'avant guerre, fixait sur lui un regard craintif, abrité sous un vaste chapeau piqué d'une grosse plume frisée. M. Lasquin la regardait avec une tendresse désespérée. Il n'y avait plus que la vie de cette forme fragile pour contenir la menace de la nuit qui l'enserrait de tout près. Déjà l'image de la jeune épouse semblait se figer, les détails du vêtement prenaient plus de valeur que la lumière déclinante du regard. Il sentit se détendre le dernier ressort de sa conscience et fit un effort suprême pour remettre la machine en marche. Quelques secondes, un îlot surgit dans sa mémoire. Une autre jeune femme, rieuse, aux cheveux platinés, et portant la jupe à mi-jambe, tapait de l'index sur un long fume-cigarette pour en secouer la cendre. Il y avait dans la courbe et le poli de sa longue main une féminité qui toucha encore M. Lasquin. On l'entendit gémir et articuler distinctement :

— Élisabeth. Production.

Dans le même instant, l'épouse et la platinée fondaient dans une nuit totale. M. Lasquin ne souffrait plus. Il sentait une force qui était en lui se déplacer sans à-coups et le quitter très doucement. A mesure qu'elle s'écoulait, elle venait se reconstituer en face de lui, profitant de la nuit et de sa faiblesse, tandis qu'il diminuait jusqu'à n'être plus rien. Enfin, il se pencha sur son assiette et mourut avec un visage décent.

II

Au retour du cimetière de Passy, la vie parut fort supportable et chacun fit taire sa douleur. Seule, Mme Lasquin, commençant à comprendre qu'elle perdait un homme aimable et très bon pour elle, menait encore un deuil très vif. Jusqu'à l'heure de la cérémonie, son chagrin était resté paisible. Pendant deux jours, sur le lit de parade où reposait le mort, elle avait contenté sa curiosité d'un visage hier redoutable et qui ne l'était plus du tout. Il n'avait pourtant pas changé. Elle s'étonnait de pouvoir le regarder sans le moindre trouble. Ainsi, la menace qu'elle avait toujours sentie peser sur elle en présence de son mari n'était-elle pas dans la forme du visage. Souvent, elle avait souhaité qu'il laissât pousser sa barbe ou plus longue sa moustache, quelque chose enfin qui eût donné du moelleux à ses traits virils. Elle se rendait compte maintenant que le poil n'y eût rien fait. Tout était dans le tremblement de la vie, dans la vigilance d'un instinct mâle que son corps de femme refusait, même dans les périodes de grand calme. Devant la mort, enfin rassurée, elle avait éprouvé l'envie tardive de lui démontrer sa tendresse par des mots gentils et puérils, des jeux bénignement féminins, maintenant sans contrepartie.

La famille était un peu gênée de ces larmes de Mme Lasquin, qui venaient à contretemps. Las de se relayer auprès d'elle dans le petit salon du rez-de-chaussée, las de répéter les mêmes choses d'une voix mal ajustée, on l'avait flanquée d'une amie de pension et d'une vieille cousine rabâcheuse et dévorée de curiosité, qui voulait savoir le fin mot de cette mort étrange et arrachait tous les détails.

Les hommes se tenaient dans les deux pièces, salon et bureau, dont les fenêtres donnaient sur le jardin situé derrière l'hôtel des Lasquin. Bernard Ancelot, que sa présence au déjeuner fatal avait encore rapproché de la famille, s'était laissé embarquer dans une voiture au sortir du cimetière. Il se tenait autant que possible à l'écart des conversations et regrettait d'être venu. Voyant Micheline descendre au jardin, il l'y rejoignit.

Pontdebois essayait de masser les gens et la conversation pour éviter un tête-à-tête avec M. Lenoir, le beau-père de Micheline, dont il croyait pénétrer assez bien les intentions. L'industriel n'allait pas manquer l'occasion qui pouvait s'offrir d'installer aux Établissements Lasquin son fils Pierre en cavalier seul, afin qu'il y devînt le maître plus tard. De haute taille et d'une belle figure de pirate, M. Lenoir était un homme sans hypocrisie, ayant une intelligence brutale de ses intérêts et possédant au plus haut degré ce merveilleux pouvoir d'ignorer chez autrui le réseau délicat, tendu par la morale. La plupart des gens, avant même d'engager le fer avec lui, se sentaient déjà dépouillés de leur pauvre toile d'araignée de convenances et de respect humain, mis à nu jusqu'à la carcasse de leurs intérêts. Luc Pontdebois avait horreur de cette brute saine et lucide qui faisait ses affaires sans raffiner sur les petits jeux de l'honnêteté. Ce qui le dégoûtait le plus était qu'un tel homme fût dépourvu de cynisme. Toutefois, il tenait à ne pas le heurter. Connaissant dans les grandes lignes les dispositions testamentaires de M. Lasquin qui l'en avait entretenu autrefois, il préférait éluder une conversation directe jusqu'au moment où il pourrait se retrancher derrière la volonté du mort. Chauvieux, lui aussi, devinait à peu près les intentions de Lenoir et favorisait la manœuvre de Pontdebois, mais paresseusement, avec ennui. Malgré les positions respectives, il préférait secrètement le pirate à l'écrivain.

— Nous n'aurons pas eu le temps de causer, dit M. Lenoir en tirant sa montre. Pourtant, j'aurais voulu vous parler de ce qui se prépare.

— La grève générale ?

— Grève générale n'est pas le mot. Dans la métallurgie, par exemple, elle épargnera des groupes importants.

Suivit un silence à horizons. Pontdebois songeait à cette grève semi-générale dont la contagion s'arrêterait à certaines portes.

— Et vos usines de la Moselle seront épargnées ?

— Naturellement. Et je vais faire mon possible pour que les usines Lasquin n'aient pas à souffrir non plus. A Paris, ce sera moins facile que dans la Moselle. Il faudra que vous m'aidiez.

— Je compte sur toi aussi, ne l'oublie pas, hein ? ajouta M. Lenoir en regardant son fils avec un air de férocité.

Le deuil allait bien à Micheline. Elle le portait avec une élégance qui ne sentait pas l'improvisation, ni l'apprêt. Elle restait très bien habillée. Le noir faisait valoir sa blondeur et sa carnation. Sa mélancolie était appétissante. Bernard Ancelot admirait en elle le calme et l'innocence de la richesse bien assise. Dans ce jardin tranquille des Lasquin, il écoutait avec bonheur Micheline l'entretenir de choses insignifiantes. Elle parlait sans coquetterie, avec un bon sens un peu court, mais ferme. Tout était en ordre dans son petit univers. L'idée qu'on peut avoir de la société, des gouvernements, du travail, de la richesse, de la pauvreté, et des rapports entre les compartiments du monde, avait pour elle une forme évidente, définitive. Bernard sentait aussi en elle une candeur des sens, entretenue par une existence confortable et hygiénique. C'était très reposant et très doux. Il fut ému de l'abandon amical avec lequel la jeune femme lui confia son remords à propos d'un mensonge sans importance qu'elle avait fait à son père. La voyant verser quelques larmes, il lui prit la main.

Pierre Lenoir, après le départ de son père, vint les rejoindre au jardin et montra un visage soucieux, empreint d'une tristesse qui n'était pas simplement de circonstance. Bernard, qui compatissait d'un cœur fondant au chagrin de Micheline, manquait de disponibilités pour son ami.

— J'entre à l'usine demain matin, annonça Pierre d'une voix lugubre.

Un murmure, aussi dépourvu de compassion que de curiosité, accueillit la nouvelle.

— Mon père prétend que mon devoir l'exige. A l'en croire, ma présence est indispensable là-bas. Vous pensez comme elle est indispensable. Moi qui ne sais rien du métier et qui ne serai jamais fichu d'en apprendre rien. Heureusement, il ne manque pas de gens qualifiés pour mener l'usine. Alors à quoi bon ma présence qui ne pourra être qu'un embarras? Et mon devoir exige aussi, paraît-il, que je sois là-bas neuf heures par jour. Oui, neuf heures. Ah! je peux dire adieu à ma carrière de coureur.

— C'est ennuyeux, dit Micheline. Mon pauvre Pierre.

— Je suis un homme fini. Je n'ai plus qu'à laisser pousser ma barbe et à m'acheter un parapluie. Et pourtant, ajouta Pierre en pliant et en détendant l'une de ses jambes, j'avais quelque chose là.

Il eut un ricanement amer, presque désespéré. Son rêve aurait été de réaliser la fortune de sa femme afin de pouvoir se donner tout entier à la course à pied pour laquelle il montrait des dons très brillants. Il possédait une photographie dédicacée du grand Ladoumègue, qu'il avait emmenée dans son voyage de noces en Égypte et qui était présentement accrochée dans la chambre des jeunes époux. Le matin, sur l'oreiller, il ne manquait pas de lui accorder un regard dévot et soupirait rituellement en le désignant à Micheline : « Voilà un homme », ou toute autre parole exprimant son admiration pour l'illustre coureur en même temps qu'un reproche inconscient à l'égard de sa femme. En effet, quelque plaisir qu'il prît aux jeux de l'amour, Pierre éprouvait une méfiance instinctive pour ce genre de secousse qui retentit dans les muscles et met du vague dans les mollets. Il savait qu'un coureur sérieux doit se restreindre sur ce chapitre-là comme sur tant d'autres et il ne s'abandonnait jamais sans un remords dans les jambes.

— Quand je pense que je m'étais promis d'aller suivre jeudi le cross des juniors !

Bernard prononça quelques mots de consolation pour justifier le sourire qui lui venait aux lèvres. Pierre secoua la tête et médita, plein de rancune, sur l'inégalité des conditions sociales et sur le triste hasard qui l'avait fait naître dans une famille de gros industriels. Fils d'ouvriers ou d'employés, ses parents n'eussent pas contrarié sa vocation de coureur de fond. Obscurément, il se prit à former des vœux pour la subversion de l'ordre social et le triomphe des partis extrémistes. Le désir lui vint d'exprimer sa pensée à haute voix, mais, à la réflexion, il ne trouva pas dans ses aspirations déçues de coureur à pied des raisons valables d'aller à la révolution. Un tel raccourci lui parut même un peu choquant. Du reste, une profession de foi révolutionnaire risquait de le rendre ridicule, lui qui, à vingt-quatre ans, libre de tout souci matériel, n'osait même pas se révolter ou seulement objecter contre les exigences de son père.

— Ma pauvre Micheline, c'est fini de nos parties de tennis. Dommage. Ton jeu commençait à se tenir et tu avais un drive qui venait bien. Tu vas te remettre à jouer en double avec des femmes qui te gâteront la main en huit jours.

Pierre se tourna vers Bernard pour lui dire :

— Toi qui as la chance de ne pas aller à l'usine, pourquoi

ne viendrais-tu pas, le matin, faire une partie de tennis avec Micheline ? elle joue bien, tu sais.

Surpris et intimidé par une proposition qui s'accordait presque trop bien à ses vœux secrets, Bernard fit une réponse embarrassée qui pouvait passer pour une protestation. Pierre savait que sa femme était belle et qu'en général les amis ne sont pas en bois, mais l'adultère lui semblait si peu sportif qu'il ne l'imaginait guère. Pour lui-même, l'idée d'avoir une maîtresse lui faisait horreur. Il ne comprit rien au mouvement de pudeur de Bernard.

— Je te proposais ça au cas où tu n'aurais rien de mieux à faire. N'en parlons plus.

— Mais si ! Je ne demande pas mieux, justement. Quand voulez-vous commencer, Micheline ?

Ils commencèrent le lendemain matin.

Le premier dimanche du deuil, Pierre Lenoir se leva à cinq heures et demie pour se rendre au Racing-Club où il se proposait d'étudier une nouvelle méthode d'économie respiratoire, préconisée par un spécialiste finlandais du cinq mille mètres. Cette manière nouvelle d'accorder son souffle à sa foulée lui semblait appelée à un avenir fécond, car elle fondait sur des données vraiment rationnelles toute une tactique de la course de fond. Invitée la veille à l'accompagner pour se livrer à des exercices surveillés de culture physique, Micheline avait renâclé et, le matin même, fait la sourde oreille dans son lit. Pierre était parti à sept heures moins le quart avec Roger, le jeune frère de sa femme. Ayant pris avec eux le petit déjeuner, Mme Lasquin les avait vus avec envie quitter la maison. A force de conviction, son gendre était déjà parvenu à l'intéresser au sport. Elle lisait ses journaux sportifs et attendait avec impatience que le temps du grand deuil fût passé pour l'accompagner sur les stades et applaudir les grandes équipes. La veille, il lui avait fait lire quelques bons articles intéressant la méthode finlandaise et les lui avait commentés de façon si ingénieuse qu'elle s'était sentie émue et presque intimidée, lui semblant qu'une échappée lui eût été ouverte sur un compartiment de la science pure. Plusieurs fois, après le départ de Pierre, tandis qu'elle montait à sa chambre au premier, elle éprouva le principe de cette économie respiratoire, enjambant deux marches à la fois et surveillant la cadence de son souffle, avec le regret que le nombre des étages ne fût pas plus important.

Vers huit heures et demie, elle était occupée dans le jardin à répondre à des témoignages de sympathie qui lui étaient parvenus à l'occasion du décès. Ce genre de correspondance ne l'embarrassait pas et sa plume courait légère, servie par les leçons prévoyantes des Dames de l'Assomption qui lui avaient donné autrefois une éducation parfaite, permettant de devenir du jour au lendemain une veuve accomplie. « Dans l'affreux malheur qui nous frappe, c'est pour les miens et pour moi un bien grand réconfort, ma bonne amie, que de sentir, si proche malgré la distance, votre affection attentive... » Mme Lasquin s'interrompit pour recevoir le courrier que lui apportait la femme de chambre. Les lettres de condoléance étaient encore nombreuses. Elle les lut, même les plus banales, avec le plaisir qu'elle prenait à tout ce qui venait confirmer l'importance de son deuil. L'état de veuve ne lui paraissait pas moins curieux que celui d'épouse. Elle y découvrait une espèce de raison sociale qui lui avait un peu manqué du vivant de M. Lasquin et portait son veuvage comme un garçon ses premières culottes, avec autant de fierté que d'étonnement. Parmi les lettres, il en était une, anonyme, l'informant que son mari la trompait avec une certaine Élisabeth. La dénonciatrice, car l'écriture était d'une femme, ignorait la mort du coupable et semblait manquer de renseignements sur cette liaison. Elle donnait l'adresse d'une boîte de nuit où les amants étaient habitués et, en des termes assez vulgaires, s'indignait de leur tenue qu'elle jugeait révoltante, écrivant qu' « il n'arrêtait pas de lui peloter les cuisses sous la table ». L'importance donnée aux faits et gestes du couple dans la boîte de nuit laissait à penser que l'auteur du billet devait être une femme attachée à l'établissement. L'accusation était maladroite, pauvrement étayée, mais elle avait un accent de vérité naïve et le prénom d'Élisabeth aurait suffi à l'accréditer auprès de l'épouse. A cette lecture, Mme Lasquin devint rouge d'orgueil. Il lui semblait, tout d'un coup, être en proie à la vie. Comme à la cuisinière et comme à la comtesse Piédange, qui lui avaient si souvent confié leurs malheurs, il lui arrivait de ces choses vraies et un peu infâmes, faute desquelles on n'est pas bien sûr d'exister.

Voyant Micheline entrer au jardin, elle fourra la lettre dans son corsage en se délectant à ces précautions qu'imposait un aussi terrible secret, puis se remit à écrire avec un faux air d'indifférence en jetant sur les pieds de sa fille qui s'approchait, des regards vifs et luisants de gaieté. Micheline l'embrassa et s'assit en face d'elle. Sa toilette était finie, mais elle restait en pyjama jusqu'à l'heure de s'habiller pour la messe. Le regret des derniers matins passés au tennis avec Bernard Ancelot la laissait dolente et gonflée de soupirs.

— Pauvre papa, dit-elle, il y a juste une semaine, il était là. Il me parlait.

— C'est vrai, fit Mme Lasquin, il était là, pauvre cher ami.

Il y avait dans le son de sa voix une allégresse mal contenue qui la gêna. Elle n'était pas moins inquiète de l'expression de son visage et sentait qu'en dépit de ses efforts, un sourire allait l'illuminer. Je monte dans ma chambre, dit-elle, et s'en fut d'un pas presque dansant. Elle s'enferma dans la salle de bains pour y relire sa lettre. Il y avait deux passages, deux sommets, qu'elle ne se lassait pas de reprendre, celui des cuisses sous la table et surtout l'entrée en matière : « Malgré que ça me soit très pénible, j'ai le devoir et le regret de vous annoncer que vous êtes cocue. » Mme Lasquin répétait à mi-voix le dernier mot avec le plaisir que prennent parfois les très jeunes enfants à prononcer une expression obscène et se regardait dans la glace avec respect.

A la messe, elle pria presque sans distraction pour le repos de l'âme de M. Lasquin. « Mon Dieu, il était comme sont la plupart des hommes. C'est une espèce de maladie qu'ils ont presque tous. Voyez donc, par exemple, son cousin Pontdebois. L'année précédente, un jour que nous étions seuls dans la bibliothèque, est-ce qu'il ne m'a pas mis la main sous les jupes en me disant : Anna, vous êtes délicieuse depuis que vous vous êtes mise à engraisser. Pourtant, il m'aimait bien, ce pauvre Luc. Mon mari, c'était la même chose. Je me rappelle, aux premiers temps de notre mariage, quand j'étais au lit et qu'au moment de se coucher il me regardait avec des yeux drôles, tout d'un coup, et qu'il avait du mal à prononcer mon nom et qu'il avait l'air d'une horloge arrêtée, je me disais sans jamais me tromper : « Allons, voilà que ça le prend encore, pauvre ami. » A certains égards, lui non plus n'était pas bien responsable. Autrement, comment expliquer que dans cette boîte de nuit, il touchait les cuisses d'une dame sous la table? Quand on l'a vu à table en famille, ou en visite, ou à son bureau, on est bien obligé d'admettre que pour avoir une idée aussi étrange, il était sorti de son naturel. »

Au repas de midi, Mme Lasquin sentait en elle une force expansive et résistait au besoin de se confier. Son secret ne lui pesait nullement, mais il était comme un trop-plein de sève qu'il lui semblait ne plus pouvoir contenir. Chauvieux, qui était venu déjeuner à la maison, était sans doute le plus qualifié des convives pour recevoir des confidences, mais sa sœur savait qu'il était homme à les accueillir avec le plus grand sang-froid. A coup sûr, la nouvelle que le défunt avait une maîtresse ne le ferait pas entrer en ébullition. Il y répondrait par des paroles affectueuses et émollientes qui tendraient à minimiser le drame et il fallait même craindre qu'il ne le réduisît à fort peu de chose. D'autre part, il ne pouvait être question de mettre les deux enfants dans un secret concernant la vie intime de leur père. Roger n'avait d'ailleurs que quatorze ans, le cher ange, et quant à Micheline, ce n'était pas un sujet de réflexion qu'on pût proposer à une toute jeune mariée. Restait Pierre. C'était, au jugement de Mme Lasquin, un garçon sensible, propre, ne recelant dans son corps aucun de ces dangereux mystères qui inclinent tant d'hommes à une compréhension trop indulgente des histoires de cuisses. On pouvait être sûr qu'il serait choqué. Pendant le repas, sa belle-mère le considéra avec gourmandise.

Au sortir de table, elle parla d'une visite au cimetière de Passy. Ce pèlerinage de dimanche après-midi surprit comme un rite un peu plébéien, mais la moindre objection eût été indécence. Chauvieux se défila en prétextant un rendez-vous et se condamna ainsi à quitter la rue Spontini où il avait l'intention de passer l'après-midi. Depuis la mort de son beau-frère, l'atmosphère de la maison lui plaisait. Il y voyait une image aimable et tranquille de la vie familiale, que lui gâtait naguère la présence de Lasquin, homme affable et certainement dépourvu de fatuité, mais grand industriel jusque dans le privé et révérant dans sa propre personne, aussi bien dans ses jugements que dans ses digestions, l'importance de sa fonction sociale. Chauvieux n'avait jamais pu se faire à sa façon courtoise d'accueillir l'opinion des autres avec un fin sourire de façade, qui semblait réserver le point de vue d'un esprit supérieurement informé.

Absorbés par l'ennui de ce pieux devoir, les enfants marchaient dans l'allée en jetant sur les tombes des regards vagues et mal assurés. Mme Lasquin, pressée d'affronter le défunt avec l'avantage de son secret, aperçut de loin la concession de la famille. Une jeune femme en robe claire était penchée sur la tombe de Lasquin. L'épouse n'eut guère loisir de l'examiner, car l'inconnue s'éloigna presque aussitôt et se perdit parmi les tombes. Sur le tertre, à l'écart des autres bouquets dont la plupart étaient déjà fanés, elle remarqua une gerbe de roses fraîches, nouée d'un mince ruban rose qui était peut-être une bretelle de combinaison. Les enfants n'avaient pas vu la jeune femme et les roses ne devaient à aucun moment leur paraître suspectes.

Devant le rectangle de terre fleuri, Micheline fut prise d'une émotion violente et profonde qui fit jaillir ses larmes. En songeant à l'affection que lui avait toujours témoignée son père, elle sentait se retirer d'elle toute la tendresse du monde et pleurait sur une solitude que le retour de M. Lasquin n'eût d'ailleurs pas comblée. Pierre Lenoir, avec une décence de prince consort, fixait une motte de terre d'un regard pensif, comme si sa douleur eût pris un tour philosophique, et Roger qui n'avait pas encore l'âge de rester les yeux secs, pleurait à petites larmes, avec l'inquiétude et le remords de faire moins bien que sa sœur. Mme Lasquin n'était pas au chagrin et ne cherchait pas à ruser. Elle regardait son mort avec une curiosité dévorante. Il semblait être redevenu l'homme étrange qu'il était de son vivant. Elle avait pu croire qu'il était guéri et que jamais plus elle ne connaîtrait la gêne et l'appréhension qu'elle éprouvait naguère à son abord, mais le doute renaissait déjà dans sa chair. En effet, il ne paraissait nullement gêné d'avoir été surpris en tête à tête avec une jolie fille. Couché comme au fond d'une alcôve, à l'affût du printemps et des jambes en bas de soie, un bouquet égrillard sur le tertre, il avait un air équivoque et presque dangereux. Mme Lasquin, troublée, songeait à un roman exotique qu'elle avait lu autrefois, roman malsain dont certains épisodes, les plus scabreux, se déroulaient dans un cimetière turc. Il lui souvint mal si les accouplements étaient entre vifs ou entre morts, mais elle admit que les uns et les autres avaient part à ces jeux lascifs. Et ce qui se passait dans les cimetières turcs devait être chose courante dans ceux de Paris. Il fallait bien se rendre à l'évidence.

Mme Lasquin se sentait à peine veuve et y trouvait quelque satisfaction.

— Pierre, il faut pourtant que je vous le dise. Il me trompe.

Au retour du cimetière, elle avait chambré son gendre dans une pièce du premier étage.

— Qui donc? s'informa-t-il avec une paisible sollicitude.

— Qui? mais lui, mon mari. Tenez, je l'ai reçue ce matin.

Tandis qu'il lisait la lettre anonyme, elle le surveillait d'un œil vigilant. Mais le visage de Pierre n'exprimait aucun des sentiments de révolte et de pudeur blessée auxquels Mme Lasquin s'était attendue. L'affaire lui paraissait déjà ratée. Elle se reprocha de n'avoir pas su le préparer, le mettre dans l'atmosphère, et avec envie songea aux confidences de la cuisinière et de la comtesse Piédange sur le même sujet. En parlant du comte, la dernière fois qu'elle s'était épanchée, la comtesse avait glapi à plusieurs reprises : « Un cochon! je vous dis que c'est un cochon. » Mme Lasquin trouvait le mot excessif, injuste, et si loin de ses habitudes de parler qu'il lui eût été impossible de le prononcer. Elle se sentait inférieure à la situation.

— C'est affreux, n'est-ce pas?

— Une misérable calomnie, rien de plus. Vous n'allez tout de même pas ajouter foi à une lettre anonyme.

— Et ce prénom d'Élisabeth? celui qu'il a prononcé en mourant.

Pierre n'y avait pas pensé et fut pris de court. Il était très ennuyé. Ce genre de tragédie intime contrariait son goût d'une vie aérée, sereine et abritée des tourments de l'imagination. Il en voulut à sa belle-mère de l'avoir mis dans son secret.

— Oui, Élisabeth. On peut supposer que peut-être... mais puisque rien n'est sûr, le mieux est d'oublier. A quoi bon soupçonner un mort?

— Je ne soupçonne pas. Je sais. Vous n'avez donc rien vu, tout à l'heure, en arrivant au cimetière?

Pierre entendit avec répugnance le rapport de Mme Lasquin sur la visite d'une jeune personne que venait de recevoir le défunt. Le bouquet de roses, noué d'une bretelle de combinaison, acheva de le dégoûter.

— Enfin, maman, pourquoi me dites-vous tout ça ? gémit-il.

— Je n'aurais pas dû, mais je souffre abominablement, dit Mme Lasquin d'une voix toute vibrante de fierté.

Ne comprenant pas qu'elle jouait à être une grande personne, son gendre la découvrait sous un jour effrayant. Il était douloureusement surpris. Il avait cru entrer dans une famille saine, équilibrée, n'ayant pas plus de curiosité qu'elle n'en montrait. Or, le père était un homme vicieux qui ne répugnait pas à toucher des cuisses avec ses mains. Jusque dans la tombe, sa lubricité gardait pour certaines femmes une trouble attirance. Sous des dehors candides et tranquilles, la mère, en proie à de sombres ardeurs, était torturée par une affreuse jalousie que la mort ne parvenait pas à apaiser. Et Pierre se souvint d'avoir vu entre les mains de Roger, le jeune frère de sa femme, une photographie de Mae West, cette artiste américaine aux seins plantureux et si peu sportifs, dont l'image détournait des stades tant de garçons bien doués. Le climat de la maison était changé. Tout le reste de la journée, Pierre surprit autour de lui des regards étranges, les uns alourdis par la rumination du plaisir, les autres vifs, brûlés par les poisons de la concupiscence. Pour la première fois, il observa que Victor, le maître d'hôtel, avait une tête de dangereux satyre. Observa aussi que les femmes de chambre, à la dérobée, le déshabillaient des yeux. Il se ne sentait plus en sécurité. De Micheline, il n'osait rien penser, mais le soir venu, dans leur chambre, il lui fut impossible de ne pas voir le regard qu'elle arrêtait sur le portrait de Ladoumègue accroché au mur. Évidemment, elle ne méditait pas sur la foulée ou la capacité respiratoire de l'illustre coureur de fond.

— Quel homme merveilleux, hein ? dit-il timidement.

Micheline était très loin de Ladoumègue, si loin qu'elle se troubla un peu et rougit. Cette chaleur du sang qui lui montait aux joues était bien la preuve que l'athlète lui inspirait d'inavouables pensées. Il en fut gêné pour Ladoumègue. Il craignit aussi pour lui-même. L'idée lui vint qu'une nuit peut-être prochaine, abusant de son sommeil, elle se livrerait sur lui à un attentat immodeste et contraire à l'honneur sportif. Le lendemain, ses craintes lui semblèrent très exagérées et il eut assez d'esprit pour se trouver ridicule, mais il n'en restait pas moins que la famille Lasquin avait perdu, à ses yeux, l'innocence où il se plaisait. Il était moins heureux et vivait à la maison dans un sentiment de gêne et de méfiance, qu'entretenait sa belle-mère en lui représentant à toute occasion la misère de ses souffrances et de son désarroi. Cette désillusion qu'il se gardait bien d'exprimer modifia sensiblement sa façon d'être avec Micheline. Il eut moins envie d'avoir un enfant et de plus en plus, consacra ses loisirs à la culture physique et aux bonnes lectures sportives. Du reste, à aucun moment, Micheline ne prit conscience d'un changement dans l'état de leurs relations.

III

A l'usine, la disparition de M. Lasquin ne tarda pas à se faire sentir. A propos des achats et des ventes de quelque importance, les événements politiques posaient des problèmes d'opportunité qui faisaient hésiter l'administrateur. M. Lasquin n'était pas un grand animateur et n'avait guère le goût du risque, mais il était le maître de son affaire. Choisi parmi ses plus proches collaborateurs pour assumer provisoirement les fonctions d'administrateur, M. Louvier, homme capable et consciencieux, ne se sentait pas libre de suivre son inspiration. Il lui semblait, en décidant sur des conjectures, jouer à la roulette avec le bien d'autrui. Aux premiers symptômes, d'ailleurs incertains, d'une agitation parmi les ouvriers de l'usine, il eut peur d'un incident qui pût être exploité par des meneurs et donna aux agents de maîtrise la consigne de se montrer conciliants. Le rendement du travail tomba aussitôt. Chauvieux observa sur le vif que l'indulgence à laquelle étaient tenus les contremaîtres faisait justement naître de ces incidents redoutés par la direction. Il était assez bien placé pour s'en rendre compte, car ses fonctions l'appelaient plus souvent dans les ateliers que dans les bureaux. On avait créé pour lui la dignité d'administrateur du matériel. Comme le matériel de fabrication était confié à des spécialistes, il s'occupait surtout du matériel roulant, camions, tombereaux, wagonnets, brouettes, diables. C'était lui qui décidait de les faire réparer dans leurs œuvres vives, de les réformer définitivement ou de les changer d'affectation. Il avait acquis à cette besogne un coup d'œil estimé. Sa situation lui valait quelques jalousies dans le haut personnel. Certains lui reprochaient de compromettre l'autorité patronale par trop de familiarité avec les ouvriers. Chauvieux, il est vrai, avait gardé de sa vie de sous-officier le goût du contact avec les hommes, mais il n'avait pas de rapports familiers avec les ouvriers et ne souhaitait même pas d'en avoir. Il leur parlait avec l'aisance que lui avait acquise son expérience de sergent bien élevé. Du reste, comme la plupart des gens ballottés par la vie dans des milieux divers, il était incapable d'un préjugé favorable à l'égard d'une classe sociale et se montrait plus attentif aux individus qu'aux catégories. Sa tranquillité, son sérieux, sa politesse et certain désenchantement des hommes qui paraissait dans sa façon d'accueillir leurs fautes sans la moindre surprise, lui valaient généralement la curiosité sympathique des ouvriers. Sans oublier qu'il était apparenté au patron, on lui était reconnaissant de savoir évoluer dans un complet bien coupé sans en être gêné et sans gêner personne. Ceux du matériel roulant, avec lesquels il avait des contacts plus suivis, lui témoignaient une confiance affectueuse, particulièrement aux ateliers de réparation où le travail s'effectuait dans une atmosphère d'artisanat. D'ailleurs, ses fonctions n'étaient pas de nature à inspirer nulle part la défiance. Devant lui, on se permettait de modestes entorses aux règlements, qu'on n'eût pas osées en présence d'un contremaître, et comme sans y penser.

Un après-midi, à l'usine, Chauvieux eut affaire dans le bureau de Lasquin, que nul n'occupait depuis sa mort. Il venait chercher un taille-crayon en ivoire, réclamé par Mme Lasquin qui l'avait vu une fois sur la table de son mari et en avait gardé un vif souvenir. Il trouva l'objet dans un tiroir et s'attarda un peu à examiner la pièce où avait régné le défunt. L'ameublement, ébène et tentures crème, était triste et imposant comme un chiffre d'affaires. Le travail, seul, y pouvait sauver de l'ennui. Chauvieux cherchait quelque coin ou quelque détail qui eût gardé l'empreinte du disparu. Ce fut dans cette pieuse disposition qu'il se dirigea vers un meuble d'angle, formant bibliothèque. Du fauteuil qu'il occupait naguère, M. Lasquin n'avait qu'à faire deux pas pour atteindre les livres. Sous reliures coûteuses, toutes à l'uniforme, c'étaient des traités de droit, de législation ouvrière, d'économie politique, qu'on avait réunis pour le coup d'œil. Chauvieux examinait mélancoliquement cette bibliothèque de parade lorsque son regard fut attiré par un dos dont la couleur tranchait légèrement sur l'ensemble. Le volume portait un titre en lettres dorées : « Taxe à la production », qui imposait un rapprochement avec les dernières paroles prononcées par Lasquin. Peut-être y avait-il, griffonnées sur les pages par l'industriel, des notes qu'il avait jugées assez intéressantes pour les signaler, d'un mot, à l'attention de sa famille ou de ses collaborateurs. Ayant ouvert le livre, Chauvieux découvrit qu'en réalité ce titre rébarbatif abritait un album de photographies n'ayant évidemment aucun rapport avec les problèmes de production. Les photos étaient toutes de la même femme, une fort jolie personne d'entre vingt-cinq et trente ans, d'un visage intelligent à l'expression un peu dure. Chauvieux éprouva une grande déception. Il avait admiré la mort de cet homme dont le dernier soupir semblait dédié à l'amour et au travail. Dans la bouche d'un mourant, à l'heure où l'avenir de l'industrie était peut-être menacé, ce mot de production, exhalé sans commentaires, avait de la grandeur. Après avoir remis le livre en place, Chauvieux se ravisa, jugeant préférable de le soustraire à la curiosité des étrangers. Il lui sembla que Pontdebois, proche parent du mort dont il avait toujours eu la confiance, était plus qualifié que lui pour recevoir ce dépôt. Justement, il devait passer chez lui dans la soirée l'entretenir des inquiétudes que lui inspiraient les hésitations de l'administrateur.

Vers six heures un quart, passant place de l'Étoile, il vit une troupe de gardes mobiles, massée à l'angle des Champs-Élysées et de l'avenue de Friedland. Les trottoirs de la rue de Tilsitt étaient couverts d'uniformes sombres. Des cars, remplis de têtes casquées, stationnaient dans l'avenue de Friedland. Depuis quelque temps, des bagarres éclataient en fin d'après-midi sur les trottoirs des Champs-Élysées. Chauvieux, qui avait passé une partie de sa vie à se défendre contre les abus de la morale, méprisait d'instinct toutes les religions sociales où il ne distinguait que venin de cuistres, aigreurs de curés et larmoiements d'eunuques. Les invocations à un idéal de justice lui étaient aussi pénibles que la dignité raisonneuse du droit menacé, mais il lui semblait qu'une fois les partis engagés dans une guerre sanglante et sans merci, chacun d'eux trouverait une excellente raison d'être dans l'effort de la lutte. Il espérait secrètement que cette aventure serait aussi la sienne, car il ne se sentait pas à sa place aux usines Lasquin et, sans trop s'en douter, attendait du nouveau.

Excité, il se dirigea vers les Champs-Élysées avec une allégresse qui le fit sourire. Le haut de l'avenue était plus animé qu'aux jours ordinaires, mais sans nul désordre. De loin en loin, des essaims de gardes mobiles se tenaient sous les arbres, au bord de la chaussée. D'autres, plus importants, étaient massés sur les trottoirs des rues adjacentes. On pouvait entendre à travers les conversations des passants et le bruit des voitures, une haute rumeur intermittente. La foule semblait avoir son maximum de densité vers le milieu de l'avenue et Chauvieux distingua, à la hauteur de la rue de la Boétie un certain bouillonnement qui se propageait à sa rencontre en remous de moindre importance. A côté de lui, une bande de jeunes gens prit soudain le pas de course et la foule se pressa derrière eux. Il y eut un engorgement et, par-dessus les têtes immobiles, il vit se lever une vingtaine de poings fermés. Des voix dispersées portaient des injures confuses. Devant lui, une vieille petite dame à voilette, tenant son pékinois sur le bras, criait avec une voix de souris : « A mort le Blum! à mort le Blum! » Il se fit une seconde de silence relatif et, en même temps, éclatèrent *La Marseillaise* et *L'Internationale*. Puis une poussée d'agents brassa la foule, y ouvrit plusieurs brèches aussitôt refermées et Chauvieux se trouva porté contre une colonne de manifestants Front Populaire, coupée de son gros dont il apercevait plus bas les tronçons qui s'efforçaient de se rejoindre. Il songea qu'il était peut-être sur le point d'avoir des opinions politiques. S'il était amené à se colleter avec la police, ses opinions seraient celles des gens qui feraient le coup de poing avec lui. Mais les choses semblaient se passer plutôt pacifiquement. Les coups de poing et les empoignades n'étaient guère que de personne à personne. En poursuivant son chemin, il assista pourtant à un choc entre une colonne de Front Populaire et une de contre-manifestants. La présence de la foule empêchant les déploiements, la mêlée fut restreinte. Il n'y eut qu'un homme de sérieusement blessé, du fait de la police. Chauvieux, pour mieux voir et pour échapper à la presse, se réfugia sur le seuil d'un immeuble, qui l'exhaussait de quelques centimètres. Là, son regard fut attiré par une importante cocarde tricolore ornant le veston d'un homme qui se trouvait à côté de lui et qu'il reconnut pour un camarade de régiment, du nom de Malinier. Pendant la guerre, ils avaient été sergents à la même compagnie, s'étaient retrouvés une première fois à l'armée du Rhin, une deuxième fois en Syrie où Malinier finissait ses quinze ans de service comme lieutenant et depuis s'étaient perdus de vue. L'homme n'avait guère changé, costaud, de petite taille, la tête ronde et une sorte d'ardeur austère dans le regard des yeux bleu pâle. Il portait des vêtements luisants, pochés aux genoux et aux coudes, une cravate mal ficelée sur un col douteux, mais le chapeau, presque neuf, le requinquait un peu en lui donnant des airs de demi-solde. D'une forme ronde, il était posé sur son crâne comme un képi. Chauvieux en fut attendri. Leurs regards s'étant rencontrés, Malinier se jeta sur lui, dans un élan d'amitié dévorante.

— A propos, tu as reçu ma lettre ?

— Oui. Justement j'allais te répondre.

Chauvieux mentait, car il s'était promis de ne pas répondre à la lettre de Malinier qui, ayant lu son nom dans un journal à l'occasion de la mort de M. Lasquin, lui avait écrit chez sa sœur. Le souvenir de cet excellent camarade l'avait ému dans l'instant, mais sans lui inspirer nul désir de le revoir. Il lui semblait qu'en dehors des travaux de la vie militaire, il n'y eût pas entre eux beaucoup de points communs et que leur amitié supporterait mal l'épreuve d'une rencontre.

— Ne restons pas là, dit Malinier. On va aller s'en jeter un. Mais tu parles d'une rencontre. C'est marrant, figure-toi qu'à midi je parlais de toi à ma femme. Je lui racontais comment que tu avais mouché le petit galonné de l'Intendance à la gare d'Amiens.

Le plaisir de retrouver à la fois un ami et un témoin d'un passé qui lui tenait au cœur le rendait loquace. Il se mit à évoquer des souvenirs communs, mêlant à son vocabulaire des expressions d'un argot désuet, souvenir de sa vie militaire, et qui restait évidemment dans ses habitudes de parler. Chauvieux n'arrivait pas à se mettre au diapason. Au lieu de ce résidu épique demeuré dans la mémoire de Malinier, il ne retrouvait, pour sa part, que des images tristes et pauvres qu'il aimait pour cela même. Ce fut seulement après avoir quitté l'avenue des Champs-Élysées qu'il s'avisa de la présence d'un tiers à leurs côtés. C'était un homme d'une quarantaine d'années, taciturne, d'un visage maussade, et qui écoutait avec une réserve pleine de malveillance. Il n'y eut pas de présentations, mais Chauvieux compris qu'il était un collègue de Malinier, employé comme lui à la compagnie d'assurances « La Bonne Étoile ».

Les trois hommes avaient gagné un petit café de la rue de Ponthieu. Deux garçons d'hôtel, portant le gilet rayé, buvaient au comptoir. A l'entrée de Malinier, leurs regards se posèrent sur sa large cocarde tricolore et, sans discrétion, ils échangèrent des sourires de raillerie. Il marcha sur eux et leur parla dans le nez.

— On dirait que ma cocarde vous gêne? Si les fesses vous démangent, comptez sur mes bottes.

L'un des deux hommes voulut descendre à des paroles conciliantes. Il coupa d'une voix sèche :

— Repos.

Les valets de chambre se mirent à boire sans ajouter mot, avec un imperceptible haussement d'épaules. Malinier et ses amis passèrent dans la salle voisine. Chauvieux avait été choqué par la conduite de son camarade et, pourtant, il lui enviait l'absence d'ironie, le sens étroit de la vie sérieuse et la fidélité à soi-même, que semblait impliquer une telle démonstration.

— Alors? demanda Malinier. Qu'est-ce que tu es devenu, depuis le temps?

Chauvieux résuma ses tribulations et déclara que pour le présent, il travaillait à Boulogne dans les bureaux d'une usine.

— Et tu gagnes combien? demanda Malinier avec une indiscrétion tout innocente, qui lui semblait aller de soi.

Chauvieux fut gêné. Il hésitait à mettre entre eux deux le froid d'un chiffre trop considérable. Malgré sa répugnance, il amorça un mensonge et répondit :

— Dix-huit mille.

C'était à peu près ses appointements d'un mois. Le compagnon de Malinier, qui n'avait encore rien dit, eut au fond des yeux une lueur d'envie soupçonneuse et demanda :

— Par an?

— Non, par mois.

Malinier parut saisi et considéra son ancien camarade de régiment avec une certaine timidité. Cette révélation lui remit en mémoire leur dernière rencontre en Syrie. Chauvieux avait perdu son père l'année précédente et refusé sa part d'héritage. La chose ayant été ébruitée par un concours de circonstances, Malinier avait été impressionné par ce mépris de l'argent. Aujourd'hui Chauvieux, pourvu d'une situation confortable, lui semblait moins prestigieux, mais plus distant.

— A part ça, qu'est-ce que tu penses des événements ?

— C'est bien embrouillé pour moi, répondit Chauvieux évasivement. Je t'assure que j'ai du mal à m'y retrouver.

— C'est pourtant clair, fit Malinier. Je ne vois pas ce qui t'arrête. C'est clair qu'avec leur ordure de Front Populaire ils sont en train de mettre le désordre partout et de nous conduire à la ruine.

Son collègue eut un mauvais sourire et fit observer en jetant sur Chauvieux un coup d'œil hostile :

— Ne te fais pas de mauvais sang. Ce ne sera pas la ruine pour tout le monde. Va donc demander aux gros actionnaires de « la Bonne Étoile » ce qu'ils en pensent. Il l'attendent, leur dévaluation, et tranquillement. C'est des millions et des millions qui vont tomber dans les caisses de la compagnie.

Il eut un nouveau coup d'œil à l'adresse de Chauvieux et ajouta :

— S'ils ont financé leur Front Populaire, ils n'auront pas été les seuls.

Le sens précis de cette sortie échappa d'abord à Malinier. Il n'en percevait que l'intention, évidemment blessante pour les puissances de « la Bonne Étoile ». Son front étroit se plissa sous l'effort de la réflexion. Son regard se tournait à l'intérieur de lui-même, vers ces régions familières où s'opposaient assez ordinairement deux images inconciliables : celle d'une ignoble tourbe révolutionnaire aux monstrueux appétits et d'autre part, hautement représentative de l'ordre, de la sécurité, de la patrie, celle du conseil d'administration de « la Bonne Étoile ».

— Vous m'excuserez, dit le collègue, mais je me sauve. C'est l'heure que j'aille m'engueuler avec ma femme. Elle va me réclamer mes jetons de présence.

Et tendant la main à Chauvieux, il eut un rire mal venu, sordide, et en même temps agressif comme s'il voulait l'en éclabousser. Malinier prit à peine garde à son départ et poursuivit sa rumination. Il avait saisi son verre d'une main distraite et, brusquement, il le repoussa comme une mauvaise pensée.

— Non et non. Voilà six ans que je travaille à « la Bonne Étoile ». On a toujours été correct avec moi. Et je n'ai jamais rien vu dans les bureaux qui ne soit régulier. J'ai eu l'occasion d'approcher le haut personnel. L'année dernière, une fois, je me suis trouvé en face du président du conseil d'administration. M. Longlier, tu as peut-être entendu parler ? Une vraie gueule d'honnête homme, y a qu'à le regarder. Et sachant se tenir avec les inférieurs. Et les autres, c'était pareil. Faut quand même pas tout mélanger. On en viendrait à se méfier de soi-même. Pour moi, une compagnie d'assurances, c'est comme un régiment. Quand tout marche bien, c'est que les chefs sont bons. Pas vrai, mon petit, ce que je dis là ?

Chauvieux approuva sans beaucoup de chaleur et Malinier, mal rassuré, essaya de parler d'autre chose. Mais malgré lui, un travail de dissociation s'opérait lentement dans sa tête, et son visage soucieux, aux rides profondes, trahissait des retours et des hésitations. Il sentait vaciller dans son esprit tout un édifice, d'une conception naïve et élémentaire, sur lequel il avait planté une bonne fois le drapeau tricolore. De lui-même, il revint à l'actualité politique et soupira :

— De toute façon, leur Front Populaire est une saloperie.

Mais il savait bien que pour lui, le débat n'était pas là. Chauvieux eut pitié de son désarroi. Sachant que le doute ne pouvait le mener qu'au découragement, il entreprit, un peu à contrecœur, de le remettre d'aplomb.

— On ne connaît jamais le dessous des choses et rien n'est plus dangereux que de raisonner sur des suppositions. La sagesse est de s'en tenir aux apparences. Tout à l'heure, sur les Champs-Élysées, il y avait des gens qui chantaient *La Marseillaise*, d'autres *L'Internationale*, et en les écoutant, tu savais très bien à quoi t'en tenir. Qu'est-ce que tu veux de plus ?

— C'est vrai, fit Malinier qui parut frappé de la vigueur de ce raisonnement. Au fond, ça me suffit.

— Bien sûr, approuva Chauvieux avec une douceur de garde-malade, exempte de toute ironie. Ça te suffit largement.

Le visage de Malinier s'était détendu. Il eut un sourire d'enfant et reprit comme un écho :

— Largement. Et puis tu sais, quand ça viendra à se gâter, j'ai tout ce qu'il faut chez moi. Mon revolver d'ordonnance, un lebel et même un mauser. Et j'ai des cartouches. Le jour où il s'agira de descendre dans la rue, je ne serai pas en retard. Tu me connais.

— Quelle idée! protesta Chauvieux. Sur qui tirerais-tu?

— Sur les révolutionnaires, tiens! S'ils ne sont pas dégonflés, moi non plus.

Chauvieux sourit à cette déclaration, mais elle lui parut correspondre à une conception attardée de la révolution. Son vieux compagnon lui fit l'effet d'un figurant de mélodrame, mettant tous ses espoirs dans la reprise de *La Tour de Nesle* ou de *Geneviève de Brabant* pour insuffler au théâtre une vie nouvelle. Il songea aux milliers d'anciens combattants qui attendaient, dans le même esprit, l'heure d'entrer en scène et ne doutaient pas une seconde que le traître auquel ils donneraient la réplique dût se conformer aux exigences du vieux scénario.

Pontdebois habitait, rue de l'Université, un appartement de

quatre pièces dont le remarquable manque de confort l'emplissait de fierté. Il y faisait sombre depuis le matin et pour aller à la garde-robe, il fallait sortir sur le palier et monter la moitié d'un étage. Quant à l'ameublement, il s'était efforcé à la variété des styles dont l'assemblage hétéroclite avait évidemment demandé un effort d'imagination. Dans le bureau, chef-d'œuvre du genre, voisinaient le gothique, le Louis XV, l'Empire, le Chinois et le Barbès. Le célèbre écrivain ne méconnaissait pas la laideur de ce bric-à-brac et il l'avait réalisé pour témoigner de son extrême liberté à l'égard des valeurs artistiques. Chauvieux était d'ailleurs persuadé qu'il se trompait lui-même sur le sens de cette création dont la barbarie maussade devait flatter en lui des instincts bourgeois et un esprit anarchique. Les murs du bureau étaient garnis de belles toiles. Sur le panneau qui faisait face à sa table était accroché un chromo représentant une vue générale de Cannes, avec le ciel et la mer d'un bleu meurtrier. Pontdebois, qui l'avait acheté lui-même, prétendait goûter dans sa contemplation un plaisir d'une qualité subtile. Ce chromo était déjà célèbre dans le Tout-Paris. Une revue littéraire, dans une chronique de quatre pages, avait salué « la beauté ténébrante de ce génial solécisme artistique ». Quelques vieux académiciens s'en étaient indignés, mais la mort les guettait. Dernièrement, la duchesse de Viorne avait placé un chromo dans son salon et la femme d'un célèbre marchand de tableaux était sur le point d'en faire autant.

— Voilà où en sont les choses, dit Chauvieux. Si Lenoir ne bluffe pas, et je n'ai pas le sentiment qu'il bluffe, son intervention sera bientôt indispensable.

— Oui, mais encore une fois, de quel prix fera-t-il payer son intervention ? Il faut penser d'abord aux intérêts de Roger, que le testament de Lasquin a si clairement réservés. La part de Micheline est constituée de telle sorte que Pierre ne puisse prétendre à une situation importante dans l'usine, mais soyez sûr que, dans l'esprit de Lenoir, ce n'est pas un arrangement définitif.

— Je ne me connais pas aux choses de succession, dit Chauvieux avec une pointe d'orgueil. En tout cas, il y a aussi les intérêts de l'usine, qui sont du reste ceux de Roger.

— Si vous voulez, mais il arrive que l'intérêt du patron ne soit pas exactement celui de son entreprise. Ce qui importe, c'est d'abord que Roger reste le maître de l'affaire. Après tout, une grève n'est qu'une grève, même quand on y laisse des plumes. Il y en a déjà eu.

— Qui vous dit que cette fois, les choses se passeront comme d'habitude ? S'il s'agit simplement de réviser un contrat de travail, on aura fait bien du bruit pour pas grand-chose, mais j'ai peine à le croire. On peut supposer, par exemple, que les grévistes institueront un tribunal appelé à décider si la gérance de l'affaire est satisfaisante et s'il convient ou non de laisser en place ceux qui en avaient la charge. Dans une hypothèse de ce genre, vous pouvez juger de l'intérêt qu'il y aurait à s'assurer un appui occulte.

— Évidemment, dit Pontdebois, mais une pareille éventualité est tout de même bien improbable.

— Elle est dans la logique des événements. D'ailleurs, le recours à Lenoir ne me paraît pas comporter de bien gros risques. Je ne crois pas du tout qu'il veuille faire de son fils un capitaine d'industrie. J'ai l'occasion d'observer Pierre d'assez près depuis qu'il fait son apprentissage à l'usine. Il saute aux yeux que cet aimable garçon ne sera jamais fichu de diriger une entreprise, fût-ce un simple bureau de tabac, et son père ne l'ignore sûrement pas. Il n'ira pas, de gaieté de cœur, le vouer à la faillite et à la ruine alors qu'il peut vivre douillettement des revenus que lui procure l'héritage de Micheline.

Chauvieux était plus attaché aux intérêts de l'usine qu'à ceux de son neveu, qu'il soutenait de son mieux, mais sans beaucoup de conviction. Il était sincèrement persuadé que l'intervention de Lenoir serait profitable à tous égards. En outre, il était curieux de voir, dans une circonstance précise, la manifestation d'une entente secrète entre le parti de l'ordre et celui de la révolution. Pontdebois finit par se laisser convaincre qu'il était sage de prendre contact avec Lenoir et d'examiner ses propositions.

Au moment de partir, Chauvieux se souvint de l'album de Lasquin, qu'il avait en poche, et le remit à Pontdebois.

— Vous en ferez ce que bon vous semblera. Je n'ai vu à l'intérieur aucune indication permettant de le faire tenir à la jeune personne.

— Ne vous mettez pas en peine. Elle saura bien se manifester sans qu'on l'y invite. Je vois ça d'ici. Une jolie fille qui avait trouvé l'amant riche et qui voit disparaître tout d'un coup de grosses mensualités. Inévitablement, elle va s'adresser à Pierre ou à l'un de nous deux pour essayer de tirer quelque chose du naufrage. Je pense qu'avec une vingtaine de mille francs, on en verra la farce et que la veuve ne sera pas inquiétée. Pierre peut bien faire ça pour sa belle-mère.

Pontdebois feuilleta l'album avec une négligence affectée, mais ses mains étaient fébriles. Il parut s'intéresser davantage à la reliure qu'aux photographies et affirma qu'elle était en peau de femme — quelque malheureuse décédée à l'hôpital et qu'un garçon d'amphithéâtre vénal avait proprement dépecée. Il trouva même dans cette supposition la matière d'une anecdote édifiante à placer dans un discours de Front Populaire : Une jeune ouvrière, prématurément usée par le labeur de l'atelier et les privations qu'imposait un salaire médiocre, se mourait sur un grabat d'hôpital, cependant que le patron de son usine, confortablement assis dans un bureau luxueux et fumant un cigare d'un prix élevé, rêvait aux moyens de faire relier en peau de fesse de femme certain livre érotique dont il examinait les gravures d'un regard luisant, avec un sénile tremblotement du chef. Un ami d'enfance, aussi dépourvu de scrupules que lui et aussi sot, mais devenu, grâce à l'intrigue, médecin-chef d'un hôpital, le conduisait au chevet de la jeune ouvrière et celle-ci, à la vue de son patron venu lui rendre visite, décédait dans un accès de reconnaissance, tandis qu'il la mangeait des yeux. En fin de compte, le triste individu parvenait à faire écorcher, à peine refroidies, les fesses de la malheureuse enfant. Et ça ne lui avait presque rien coûté, un pourboire d'une cinquantaine de francs et les frais d'essence, preuve que les fesses des travailleurs sont dans la main des deux cents familles, conclut Pontdebois en riant. Chauvieux fit observer que le conte n'avait rien d'artificieux et qu'une telle aventure restait dans les limites de la vraisemblance. Toutefois, il se refusait à croire que l'album fût habillé en peau de femme. Lasquin aimait trop la décence et le linge propre pour se plaire à des fantaisies de carabin ou de collectionneur maladif.

— Mon cher, vous ne l'avez pas connu comme je l'ai connu, dit Pontdebois. Songez que nous avons été élevés ensemble. Son aisance avec les femmes était plus apparente que réelle et il a souffert toute sa vie d'une timidité qui l'amenait à se réfugier dans certaines imaginations un peu torturées ou au moins déviées. Le fait d'avoir réuni ces photos dans un album pour les avoir à portée de sa main est du reste assez significatif.

— A mon avis, rien n'est plus naturel. J'y verrais simplement la preuve qu'il était très amoureux.

— Vous ne pouvez pas comprendre, dit Pontdebois d'une voix chargée de rancune. Il faudrait l'avoir bien connu.

Il voulut conter certains souvenirs se rapportant au défunt, mais Chauvieux coupa court à la conversation, d'une façon sèche qui le laissa un peu humilié. Demeuré seul, il s'en vengea en murmurant avec mépris : « Un raté et un aigri que sa sœur a sorti de la purée, mais qui reste marqué par sa vie de pion et de brute sous-officière. » Oubliant Chauvieux, il reprit l'album de photographie et s'y mit comme dans un bain. Quelques-unes étaient d'un caractère très intime et il n'en finissait pas de les contempler avec une admiration rageuse.

— Il a toujours eu des jolies femmes, cet animal-là, soupira-t-il.

En refermant l'album, il se prit à examiner la reliure. En pleine peau, elle était d'un travail assez spécial. Le cuir recouvrait non seulement l'extérieur, mais aussi l'intérieur de chacun des deux plats. Sur la face intérieure, il s'arrêtait à deux centimètres de la page de garde, bordé par une bande étroite, très mince et qui paraissait collée. Pontdebois comprit sans peine que Lasquin s'était ménagé là une cachette et sourit à cet enfantillage d'un homme dont la pondération et la dignité étaient des instruments de travail. Il tordit légèrement la couverture et, la bande d'arrêt bâillant comme une poche, des lettres glissèrent sur la page de garde.

IV

En reprenant une balle, Micheline se donna un coup de raquette sur la cheville. Elle serra les lèvres et se mit à sauter à cloche-pied. Bernard Ancelot enjamba le filet, la prit par le bras et, l'ayant aidée à s'étendre dans l'un des hamacs accrochés au fond du court, se pencha sur la cheville douloureuse qu'il caressa d'un doigt léger. Il admira ses jambes et, avant de se relever, posa sa joue sur l'un des genoux que découvrait la robe de flanelle blanche. Micheline le regardait, les yeux mi-clos, et son visage se colorait. Il lui prit la main. Elle serra la sienne, puis la lâcha et baissa les yeux, l'air gêné. Bernard eut un sourire affectueux, un peu niais. Il se sentait avec elle comme garçon et fillette, le cœur gonflé d'une amitié enfantine, et souhaitait rester dans cet état de grâce. D'ordinaire, il y parvenait sans trop s'efforcer. Le charme provincial de l'endroit semblait favorable aux mensonges honnêtes et à la paix des cœurs.

Le tennis avait été aménagé sur une place à bâtir achetée à Auteuil en 1920 par M. Lasquin. Les jardins qui l'entouraient donnaient ombre et fraîcheur. Au bout du court, des hamacs étaient tendus en triangle entre trois vieux pruniers hérissés de surgeons. De la rue, on entrait par une petite porte pourrie et rouillée qui s'ouvrait au bout du mur de clôture, dégradé et surmonté d'un grillage d'arrêt pour les balles. Le court était très bien entretenu, mais le cadre avait un air d'abandon et de vétusté qui plaisait à Bernard comme un luxe involontaire. Pendant les pauses, ils allaient s'étendre dans les hamacs et avaient des conversations sérieuses sur le tennis, la mode, les avantages du talon plat ou les boissons rafraîchissantes. Bernard n'avait jamais envie de donner à ces propos un tour plaisant ou seulement léger. Les paroles de Micheline avaient une vertu lénitive qu'elles semblaient puiser aux jardins et aux pruniers et qui répandait en lui une sève d'honnêteté. A midi moins le quart, le chauffeur klaxonnait devant la porte et ils rentraient rue Spontini où Bernard était retenu à déjeuner.

Micheline semblait avoir oublié sa cheville endolorie.

— Bernard, j'ai quelque chose à vous demander.

— Vous n'avez qu'à dire, Micheline.

— Je n'osais pas. Voilà. J'aimerais tant connaître vos sœurs.

Bernard rougit et secoua la tête en disant non et non. Voyant la gêne de Micheline, il essaya d'expliquer son refus.

— Je ne peux pas. Mes sœurs vous déplairaient sûrement. Si vous les connaissiez, j'aurais peur que vous me trouviez un air de famille. Et puis, non, vraiment, je ne peux pas.

Le chauffeur, qui stationnait dans la rue, se mit à klaxonner.

— Il faut partir, Micheline, j'ai promis à Mme Lasquin de ne plus être en retard pour le déjeuner.

De grosses gouttes de pluie se mirent à tomber et ce fut sous l'averse qu'ils coururent jusqu'à la petite porte de la rue.

Pontdebois se trouvait à la maison et commençait à regretter de s'être laissé retenir à déjeuner. A la nouvelle que les ouvriers de chez Renault avaient occupé les usines, il accourait pour échanger des impressions et se repaître un peu de l'angoisse des milieux patronaux, mais il lui fallait rester sur sa fièvre. Mme Lasquin, qu'il avait voulu entretenir de ces graves événements, n'était pas du tout surprise que les usines Renault fussent occupées par les ouvriers. Elle n'y voyait pas d'inconvénient et plaignait les grévistes qui devaient être bien mal couchés. Pierre Lenoir, lui, préférait ne pas entendre parler de ces choses-là, craignant que son père ne voulût tirer parti d'un pareil mouvement au cas où il viendrait à se généraliser et tremblant déjà d'être bombardé à un poste important à la faveur du tumulte.

— Enfin, lui demanda Pontdebois, qu'est-ce qu'on en dit, à l'usine ?

— Vous savez, dans les bureaux, on ne voit pas grand-chose.

— Vous avez vu Chauvieux ?

— Oui. Il a l'air plus en train que d'habitude. L'idée de la grève sur le tas paraît l'enchanter.

Le déjeuner fut, comme à l'ordinaire, très familial, discrètement animé. Bernard n'aurait pas osé penser que la conversation y était futile. Pierre se fit raconter la partie de tennis du matin, puis entretint sa belle-mère d'un grand match de rugby à treize qui devait se jouer le dimanche suivant dans le Sud-Ouest. Mme Lasquin répondait avec cette douceur, voilée de mélancolie, des personnes qui ont au cœur une plaie inguérissable. Pontdebois, obligé de rentrer ses occupations d'usines, écoutait, rageur, en songeant à toutes les choses brillantes et terrifiantes qu'il aurait pu dire chez des hôtes moins bornés. Il se tournait au souvenir de Lasquin avec un regret affectueux. Avec lui, la conversation eût pris une autre allure.

Bernard quitta la rue Spontini vers trois heures, lorsque Micheline alla se mettre en noir pour les visites attendues dans l'après-midi. D'habitude, il partait seul pour de longues promenades hors Paris, dînait au hasard des chemins dans un café de banlieue, puis rentrait chez lui à pied, se couchant la plupart du temps sans avoir vu personne des siens, la mère au lit, les filles dehors, le père travaillant à la lampe. Dans la rue, il hésita sur l'emploi de son temps. Le ciel était menaçant et les bois devaient être mouillés de la grosse ondée de midi. En flânant, il descendit vers le centre et, après une station dans un café, décida de rentrer chez lui et de s'enfermer dans sa chambre, rue de Madrid où habitaient ses parents.

Dans le vestibule, il tomba sur Germaine, l'aînée de ses sœurs, et Mariette, la plus jeune, qui accueillaient une amie avec des rires et un babil affectueux. Elles étaient jolies, élégantes, Mariette surtout, avec des visages un peu chiffonnés, très fardés, et de beaux yeux vifs. En voyant Bernard, l'amie s'écria :

— Tiens, mon petit vieux, vous voilà quand même. Vous nous avez salement laissées tomber, tous ces temps, hein ?

— C'est vrai, tu n'es pas au courant, dit Germaine. Tu ne sais donc pas que ce petit cul ne fréquente plus maintenant que la grande bourgeoisie, la haute industrie? sans blague. C'est crevant, hein? Mais fais attention, retiens-le, il va encore nous filer entre les doigts.

Bernard suivit les jeunes filles d'assez mauvaise grâce. Dans le salon, une demi-douzaine de personnes faisaient le cercle autour d'un divan où reposait Lili, la cadette, allongée sur le dos, la tête à peine rehaussée par un coussin. Une couverture écossaise la couvrait des pieds jusqu'à la ceinture et présentait un renflement important vers le bas du ventre. Sur son visage défait, le fard prenait mal et ses cheveux platinés, rebelles au coup de peigne et noirs à la racine, lui donnaient un air vieillot. Lili agita la main et dit à la nouvelle venue :

— T'es chic, Mag, d'être montée. Je suis contente.

— Mon pauv' chou, fit Mag en l'embrassant, mais je serais déjà venue si j'avais su plus tôt. Et comment ça va? T'as une petite gueule un peu fatiguée, hein?

— C'est long, murmura Lili. Je voudrais bien que ça finisse.

Le cercle des amis fit entendre une rumeur de protestation et d'encouragement.

— Estimez-vous heureuse, dit une dame d'un visage mûr et sévère. S'il avait fallu vous faire un curetage comme on m'a fait!

— Et moi, alors, dit Mag. A ma première, je me rappelle qu'au bout d'un mois, je perdais encore comme au premier jour.

— Je perds encore beaucoup, fit observer Lili.

Un acteur de cinéma, qui était en train de se laisser pousser une barbiche en pointe pour un rôle de photographe d'avant guerre, déclara doucement, sur un ton de fausse modestie :

— En trois ans, ma femme a fait sept fausses couches avec deux interventions.

Il y eut un murmure admiratif. Avec la main, l'acteur eut un geste tranchant et ajouta :

— A la dernière, on lui a fait sauter les trompes.

Bernard n'était pas entré dans le cercle et manœuvrait à gagner la porte. Il était déjà derrière le piano lorsque Mag l'aperçut.

— Dites donc, *dear*, faudrait pas vous tirer. Je finirais par vous en vouloir.

Elle alla le prendre par le bras et le fit asseoir dans le cercle.

— Dites-moi quelque chose, vous n'avez pas encore ouvert la bouche. Vous savez que je passe mon dernier certificat dans un mois ? vous vous en foutez ? bon. Et l'occupation des usines Renault, ça ne vous excite pas un peu ?

— Je ne lis pas les journaux, répondit Bernard.

Lili souleva la tête de sur son coussin et gémit :

— Quelle déveine que je doive rester couchée, j'aurais tant voulu voir. J'avais trente-six occasions d'entrer dans l'usine. Baguet, l'opérateur de *Ciné-Actualités*, m'aurait sûrement emmenée. Ça doit être d'une beauté !

— Tout à l'heure, dit la dame qui avait été curetée, j'ai rencontrée un ami qui y était allé dans la matinée. Il me racontait que, dans un atelier, il a vu un ouvrier en bras de chemise qui jouait de l'ocarina, et autour de lui, des ouvriers qui l'écoutaient dans des attitudes simples. Des visages compréhensifs, ils avaient. Des regards purs. Comme impression, c'était formidable. Il aurait fallu filmer ça. Il y avait une belle chose à faire en travelling.

— Il n'y a vraiment que le peuple qui sente la musique, fit observer une petite femme rousse qui se polissait les ongles en les frottant sur sa jupe.

— Et la poésie, ajouta Germaine.

On se mit à parler politique. A travers les propos, la révolution apparaissait comme un film « d'une beauté formidable », dans une atmosphère de rut et de poète maudit, mais aussi comme une romance tiède, morale et attendrissante. Bernard songeait, sans pouvoir s'en amuser, au spectacle qu'eût été pour Micheline le salon de ses sœurs et à son effarement.

— Vous avez l'air d'un fauteuil, lui dit Mag, soyez quand même un peu plus causant. Si j'ai bien compris, vous seriez amoureux dans la haute industrie ? Ce n'est pas une raison pour me faire la tête. Pensez qu'il y a quelques semaines, vous vouliez absolument me faire liquider Alfred pour venir chez moi faire des effets de torse.

— Je vous en prie. J'ai horreur des femmes qui disent des cochonneries.

— Bernard, vous m'excitez. Regardez mes jambes. Avouez qu'elles sont belles. Et vous savez, je n'en ai pas l'air, mais j'ai une grosse poitrine.

— La barbe.

Comme on servait le thé, arriva Johnny, de son vrai nom Auguste Legrain. C'était un homme de soixante ans, doux et affable, au crâne chauve, au visage mou, d'une peau grise et flasque. Ordinairement, le bout de sa langue posait sur sa lèvre inférieure, lourde et tombante, et cela faisait, au milieu des bouffissures de la face, une luisance juteuse d'un effet désagréable. Riche, notoirement homosexuel, il passait, de surcroît, pour être muni d'un anus artificiel, et ce détail curieux faisait rechercher sa société. Il vint au chevet de Lili et lui dit en écrasant les mots du bout de sa langue :

— Bonjour, petite Récamier jolie. Bonjour, petit oiseau des îles. Montre-moi les grands méchants qui t'ont mis en cage. Je vais les gronder, moi. Je veux pas qu'on emprisonne mon colibri. Je veux pas.

— Ce qu'il est gentil, murmura Germaine.

— Il a toujours eu le don des images, fit observer la dame curetée.

Johnny eut un mot aimable pour chacun et fit le tour du salon en examinant les murs et en soupesant les bibelots. C'était une manie bien connue qui lui valait autant d'estime que l'anus artificiel. En passant, il avisa un jardin japonais en pot et s'amusa de remuer la terre avec une lime à ongles. Les assistants avaient tourné la tête et suivaient ses gestes avec émerveillement tout en chuchotant :

— Il est adorable. Il est charmant. Il a toujours des trouvailles. C'est vraiment un homme formidable. Voilà qu'il bêche la terre du jardin japonais. Il sait mettre de la poésie partout. Il a un ésotérisme inouï.

Le voyant arrêté en face d'un chromo représentant la tour Eiffel profilée sur un ciel rigoureusement bleu, Germaine le rejoignit.

— Étonnant, n'est-ce pas, ma tour Eiffel ? Ce bleu, c'est d'une probité qui vous étreint. Je trouve ça d'une beauté !

— J'ai rarement vu une chose aussi belle, reconnut Johnny. On ne peut pas s'empêcher d'être ému. C'est d'une grandeur cosmique.

— Comme tache, c'est magnifique. C'est brutal comme un désir de bête.

La dame curetée, qui s'était approchée à son tour, parut très frappée par la justesse de cette comparaison et approuva :

— Ah! oui, c'est bien ça. C'est tout à fait ça. Brutal comme un désir de bête. Comme un désir de bête.

Johnny vint prendre place dans le cercle et parla d'un jeune boxeur qu'il venait de découvrir.

— Un poids mouche, joli, fuselé, d'une finesse exquise. Sur le ring, il est très batailleur, très accrocheur. Ce qui me paraît lui manquer un peu, c'est le souffle. Peut-être aussi qu'il manque d'une certaine rudesse. C'est tout de même un petit garçon tourné vers la rêverie, une âme délicate qui sent sa solitude. Je ne crois pas qu'il aille très loin. Justement, je voulais te demander, Germaine, à toi et à tes sœurs, de vous en occuper un peu. C'est un petit que je viens de sortir de l'atelier. Une nature rare, je le répète, mais qui a quand même besoin d'être dégrossie, affinée. Quand il aura boxé un peu, je voudrais qu'il fasse une carrière dans le journalisme ou dans les lettres. Il est si charmant.

— Bien sûr, vous n'avez qu'à nous l'envoyer.

— Je croyais l'amener avec moi, mais il a été retenu. Je pense qu'il sera là dans un moment. Dites-moi, petites filles, vous me promettez de ne pas le débaucher? Non, je dis ça pour rire. Milou est un vrai sportif. La femme ne lui a jamais rien dit.

Johnny se leva en entendant le timbre de la porte d'entrée et une flamme de tendresse éclaira ses doux yeux gris.

— Ce doit être Milou.

— Non, dit Mariette, je crois que c'est maman.

En effet, Mme Ancelot entra en toilette de ville. Plus petite que ses filles, elle avait un museau étroit, décharné, violemment enluminé par le maquillage, et qui brillait sous son chapeau comme une flamme rouge au fond d'une lanterne. Malgré son souci d'élégance et des façons un peu minaudières, elle n'avait pu se défaire d'une gaucherie provinciale qui faisait penser à un remords. En présence de tous ces gens réunis comme pour célébrer la fausse couche de sa fille, elle parut d'abord gênée. L'acteur à barbiche lui baisa la main et Johnny, la langue sirotante, s'apprêtait à baiser aussi, mais le timbre de la porte d'entrée ayant retenti pour la deuxième fois, il ne put tenir en place et s'échappa du salon. Cette fois, c'est lui, c'est Milou. Mme Ancelot avait suivi, entraînant dans le vestibule ses filles et ses invités, qui s'empressaient à la rencontre du boxeur. Les visages avaient déjà cet air de détente qui précède le sourire d'accueil. Entra un grand et gros homme, M. Ancelot, d'une figure violente et tourmentée, aux traits rudes, au regard soucieux. De son bureau de la rue Vivienne, il était venu en taxi chercher des papiers oubliés à la maison. A la vue de cette compagnie nombreuse qui barrait le vestibule, il s'arrêta à la porte et, s'adressant à la servante comme à la seule personne avec qui la conversation fût possible, il dit d'une voix puissante, en affectant une certaine bonhomie :

— Tiens, on a réuni le gratin, aujourd'hui. Et la fausse couche de Mademoiselle, où ça en est?

— Je ne sais pas, Monsieur, répondit la bonne avec un sourire aimable et discret. Mademoiselle a l'air d'aller mieux.

Johnny se trouvait en flèche du côté de la porte, tout contre M. Ancelot, et dans une situation un peu ridicule.

— Excusez-moi, dit-il, c'est moi qui suis responsable de ce branle-bas. Je m'étais précipité au coup de sonnette pour accueillir un jeune ami à moi...

— Qu'est-ce que c'est que celui-là? demanda M. Ancelot à la bonne.

— Je t'en prie, Léonard, ne sois pas grossier à plaisir, intervint sa femme. Tu n'as pas besoin de te forcer. Johnny, je vous demande pardon. Je suis vraiment désolée. D'habitude, il ne rentre jamais avant huit heures du soir. C'est une malchance.

M. Ancelot eut une exclamation de surprise et, montrant du doigt les ongles de Johnny, enduits de vernis rouge, lui dit aimablement :

— Pardonnez-moi, je n'avais pas vu. C'est donc vous qui êtes l'avorteur ?

Johnny essaya de prendre la chose en riant, mais tandis qu'il regardait ses ongles peints en rouge, le cœur lui manqua et il devint livide. Le voyant défaillir, la dame curetée le prit par le bras et, avec l'aide de Mag, l'emmena au salon. M. Ancelot, enchanté du résultat obtenu, éclata d'un grand rire aux résonances profondes et qui s'acheva dans une quinte de toux, car il avait un peu d'asthme. Sa femme et ses filles l'accablaient de reproches, Mme Ancelot surtout, blessée dans son orgueil de maîtresse de maison. Ceux de Germaine et de Mariette, tempérés par une certaine admiration pour le père, restaient affectueux, visant même à l'attendrir. Du reste, on ne distinguait que des paroles confuses, tout le monde parlant à la fois, la mère et les filles et les invités, tandis qu'une rumeur désolée venait du salon où Johnny reprenait ses esprits.

— Allons, ça suffit, coupa M. Ancelot, foutez-moi la paix. Je n'ai pas de temps à perdre à m'occuper de vos saloperies.

Attrapant la bonne aux épaules, il la fit pivoter sur elle-même, la saisit aux fesses, une dans chaque main et, la poussant devant lui pour se frayer un passage, s'éloigna en criant à plein gosier : « Vos gueules, nom de Dieu, vos gueules ! »

Bernard venait de passer son meilleur moment de l'après-midi. Appuyé à la porte du salon, il avait assisté à l'algarade en spectateur et, tout en sachant bien que le mépris du père ne l'épargnait pas, un sentiment chaleureux lui était venu pour cet homme dont la violence le vengeait. Il restait sous cette impression tandis que sa mère et ses sœurs, revenues au salon, s'empressaient autour de Johnny et lui ingurgitaient une arquebuse. Après ces trois dernières semaines qu'il avait vécues un peu à l'écart des siens, il lui semblait les découvrir avec un regard neuf. La figure du père le surprenait plus que les autres. Jusqu'alors, il s'était accoutumé à considérer les coups de gueule paternels comme les explosions d'un être anarchique et secrètement complaisant aux désordres de la famille, qui offraient un prétexte à ses sarcasmes ou à ses fureurs débraillées. Bernard pensa qu'il s'était peut-être trompé.

L'arrivée du boxeur acheva de remettre Johnny d'aplomb. Milou était un joli brun, petit et très bien fait, d'un visage bronzé, aux traits mâles, avec de fortes mâchoires et un front court. Intimidé au milieu de tous ces gens qu'il soupçonnait d'appartenir à la fleur de l'aristocratie, et craignant de laisser paraître de mauvaises manières, il observait une attitude modeste, parlant peu, avec prudence, et jetant autour de lui des regards vifs et sournois, comme pour s'informer. Aux attentions dont il était l'objet de la part de Johnny qui papillonnait autour de lui, le jeune boxeur répondait avec agacement et laissait même échapper des paroles brèves et rudes qu'il appuyait de coups d'œil haineux. Bernard crut deviner qu'en présence des jeunes filles, il avait honte de son protecteur et souhaitait faire entendre qu'il n'était pas aussi étroitement spécialisé que les apparences laissaient à penser. Du reste, les dames lui témoignaient une curiosité empressée et s'exclamaient sur la beauté des combats de boxe, qui mettent en œuvre des instinct profonds, d'une sauvagerie splendide. Germaine parla même de primitivisme et de retour aux origines. Milou était un peu éberlué, pensant que ce fût un privilège des gens riches et très bien élevés de pouvoir ainsi parler de boxe à un boxeur sans qu'il y entendît rien. Il conçut une certaine rancune à l'endroit de ces jolies filles qui prétendaient l'instruire sur un sujet où l'opinion des femmes lui avait toujours paru méprisable. La conversation ayant changé d'objet, il se sentit bien plus à l'aise et constata avec plaisir que dans ce salon où prédominait l'élément féminin, on disait cul et con assez couramment. Il y alla du même et s'exprima sans retenue sur le compte d'une femme de leurs relations, dont Johnny avait évoqué la figure. Apparemment qu'il y avait une façon de dire les choses, car cette sortie jeta un froid dans la compagnie. Venant de Mag ou de Germaine, telle crudité de langage s'élevait à la dignité d'une vénéneuse et pittoresque fleur de rhétorique, éclose dans le limon des convenances bourgeoises qu'elle insultait avec une coquette désinvolture. Dans la bouche de Milou, elle avait un naturel qui blessait les oreilles civilisées. Johnny était désolé et anxieux de l'impression qu'avait pu produire l'aimable jeune homme. Ayant entraîné Germaine dans un coin du salon, il arrêta, d'accord avec elle, un plan d'éducation qui assurerait à son protégé, entre autres avantages, celui de manier les mots obscènes avec une distinction aisée. Cependant, Mariette, la plus jeune et la plus jolie des trois sœurs, voyant faiblir la sympathie et l'intérêt à l'égard du boxeur, s'employait charitablement à le distraire d'une impression pénible que pouvait faire naître en lui cette baisse soudaine de température, et qu'il n'éprouvait du reste nullement. Flatté, il se dépensait en paroles aimables et lui glissait à mi-voix de galants compliments qui la faisaient sourire. Question sport, vous avez un physique qui me plaît bien, disait-il. Et pensait salopes, elles sont comme les autres, c'est miché, ça joue du piano, des parents pleins de sous et de l'éducation, mais ça cherche le mâle que ça n'en peut plus. Tout en caressant ces pensées, il avait une façon de regarder Mariette qui donnait à Bernard l'envie de le flanquer dehors. Mais Mariette et ses sœurs avaient déjà eu pas mal d'amants et cette simple considération tendait à légitimer les entreprises du boxeur, qui n'étaient encore, à vrai dire, que des intentions.

V

Dans la salle à manger en chêne clair, Malinier, les coudes sur la table, ruminait lentement son journal, levant parfois la tête pour fixer distraitement une vue du Mont Saint-Michel, chromo qui aurait pu rivaliser avec celui de Pontdebois, mais qui ne prétendait à aucun dilettantisme artistique. La radio dévidait en sourdine des chansons de Fréhel. Agenouillé sur une chaise, Gilbert, un garçon de quatre ans, regardait par la fenêtre ouverte le mouvement lent des familles endimanchées qui s'égrenaient au long de la sombre rue de la Condamine. Elles semblaient ralentir encore l'allure aux approches de la rue des Batignolles, résistant peut-être à l'appel de l'aventure sans surprises qui les attendait dans ce confluent de promeneurs ennuyés. Parfois, sans utilité apparente, une famille changeait de trottoir, comme pour satisfaire un modeste instinct de révolte. Un homme, resté en arrière pour allumer un cigare de sortie, retrouvait un moment son pas élastique des jours de semaine et retombait à son triste dimanche entre la robe verte de sa fille et le tailleur classique de l'épouse.

Malinier, le cœur gonflé de colère, relisait les titres qui annonçaient pour l'après-midi une manifestation populaire entre la Bastille et la Nation. Au lieu de manifester, est-ce que tous ces gens n'auraient pas mieux profité de leur dimanche en se promenant tranquillement en famille ? Ces démonstrations périodiques l'écœuraient à cause de leur caractère politique. En outre, elles proposaient l'image d'un remuement pesant et chaotique qui heurtait en lui une notion militaire et visuelle de l'ordre. Il se prit à rêver que le défilé dégénérait en bagarre, puis en révolution. Par la pensée, il se transportait sur les lieux à la tête d'une section de fusils mitrailleurs et, en manœuvrant habilement, sans même tirer un coup de feu, séparait de leurs troupes les chefs révolutionnaires — un tas de métèques, de Juifs et de Levantins, qu'il obligeait à faire publiquement l'aveu de leurs mensonges. Ces aveux prenaient du reste une forme singulièrement concrète. Malinier fourrait la main dans la bouche de ses prisonniers et en extirpait un énorme serpent qu'il brandissait silencieusement devant la foule, la chose se passant de tout commentaire. Déjà, la France allait mieux. Les troupes, bien entraînées, avaient un très bon esprit. Un jour qu'il dirigeait les grandes manœuvres sur la frontière de l'Est, Malinier envahissait brusquement la Rhénanie, obligeant l'ennemi à se rendre sans combat. Mais sa conquête le laissait assez perplexe, car le succès de ses armes était venu si promptement que le temps lui avait manqué de réfléchir au meilleur parti à en tirer. Il se demandait s'il allait traverser l'Allemagne pour anéantir le communisme russe, lorsque Élisabeth Malinier, le ventre ceint d'un tablier de cuisine, entra dans la salle à manger, portant une pile d'assiettes. C'était une très jolie femme, de vingt ans plus jeune que lui, et cette différence d'âge était rendue plus sensible par l'élégance d'Élisabeth et le peu de soin que Malinier prenait de sa toilette. Elle avait en outre une distinction de parole, une netteté dans l'esprit et une aisance à la conversation qui, au jugement de tous leurs amis, contrastaient fort avec les manières de son mari, homme loyal et borné, tout plein de bons sentiments un peu vulgaires dans la qualité et dans l'expression.

— C'est assommant, dit Élisabeth en rangeant les assiettes

dans le buffet. Les voisins du dessus, en lavant le rebord de leur croisée de cuisine, viennent encore de laisser couler de l'eau de Javel sur le nôtre.

Malinier leva sur elle un regard un peu désemparé. Il se sentait veuf d'une puissance magnifique qui n'avait pas eu le temps de donner toute sa mesure. La radio, toujours en sourdine, jouait la marche du 251e d'infanterie, une musique nerveuse, très enlevée.

— C'est ennuyeux, poursuivit Élisabeth. J'ai deux torchons de brûlés et il y en avait un tout neuf. Si encore c'était la première fois.

— Sans gêne, gronda Malinier. Muflerie. Toute une époque.

— Je me suis déjà plainte, mais ils s'en fichent. L'autre jour, dans l'escalier, j'en ai parlé au mari, tu sais, le gros homme avec un melon. C'est à peine s'il a été poli.

— Nom de Dieu! fit Malinier.

Il s'était levé et le visage empourpré tout d'un coup, marchait vers la porte en clamant :

— Salaud! Je vais lui apprendre à vivre! ma main sur la gueule! je vais lui flanquer ma main sur la gueule!

Élisabeth l'arrêta et se mit en travers de la porte avec un sourire affectueux.

— Voyons, tu n'y penses pas. Tu ne vas tout de même pas faire un scandale dans la maison, ce serait ridicule. Sois un peu plus raisonnable.

Gilbert, toujours agenouillé sur sa chaise, avait tourné la tête et regardait son père avec une grande espérance. Mais Malinier, en grommelant, regagna sa chaise et feignit de se remettre à son journal. Déjà sa colère tournait à la mélancolie. L'échec d'une entreprise aussi modeste que celle qui consistait à calotter l'homme au melon, l'avertissait de sa solitude en face des événements politiques. Il se vit, passant timide, s'effaçant sous un porche de la rue de la Condamine pour laisser passer une meute forcenée de chiens hurlants et bavants, dans lesquels il était aisé de reconnaître les dirigeants du Front Populaire. Au bout de la rue, à même la chaussée, posait le cœur de la France, énorme, rougeâtre, et rayonnant comme le Sacré Cœur de Jésus. Les chiens judéo-marxistes allaient le dévorer. Pour ne pas voir ça, Malinier froissa son journal et dit à sa femme :

— Quelle saleté, ma pauvre Zabeth. Ces cochons-là nous mènent à la ruine.

— C'est sans importance, répondit-elle gaiement, nous n'avons pas le sou.

Malinier fut choqué par cette façon de ramener à soi-même un problème d'intérêt national dans lequel il s'oubliait, lui, sans effort. Une telle réponse, en aggravant le sentiment de sa solitude, le confirmait une fois de plus dans son opinion des femmes qu'il tenait pour des êtres mineurs, inaptes au service armé et, surtout, dépourvus d'idéal. Lorsqu'elle eut quitté la salle à manger, il revint d'un cœur fatigué à la manifestation de la Bastille. Il n'avait plus sa section de fusils mitrailleurs, et les hordes révolutionnaires, déchaînées sur tous les points de la capitale, ivres de fureur et de carnage, prenaient d'assaut l'immeuble de la compagnie d'assurances « la Bonne Étoile ». Les garçons de bureau en profitaient pour couper les oreilles à M. Papulet, le directeur de la comptabilité. Malinier, lui, était assis à sa place habituelle et, comme si de rien n'eût été, attendait les voyous du Front Populaire en classant un dossier. Son sang-froid dédaigneux étonnait les massacreurs et leur imposait un moment, mais ils finissaient par le tuer à coups de revolver et, avant de mourir, il avait le temps de prononcer une phrase prophétique.

De pitié, Malinier haussa les épaules et soupira sur son impuissance qui le condamnait à ces rêveries ridicules. De soupir en soupir et la colère montant, il en vint à cogner du poing sur la table et s'écria d'une voix furieuse :

— Un homme ! Nom de Dieu ! un homme !

Ce coup de gueule fit sursauter Gilbert qui descendit de sa chaise et vint se planter devant son père avec un regard interrogateur. Élisabeth qui était en train de s'habiller, accourut et, poussant la porte de la salle à manger, apparut en combinaison dans l'entrebâillement. Elle avait craint un retour de bile, qui aurait pu être suivi d'effets, contre l'homme au melon.

— C'est encore la politique qui me trottait, expliqua Malinier un peu confus.

— Tu as crié fort, tu sais. Jacqueline a failli s'éveiller.

Il s'excusa, Élisabeth eut un sourire aimable et referma la porte. Cet intermède avait apaisé sa violence, mais la vision de la jeune femme surgie en combinaison était un autre sujet de mélancolie, auquel il préféra celui, plus digne d'un homme, que lui offrait l'examen de la situation politique. Gilbert s'était encore rapproché, curieux de connaître le sens de l'invocation échappée à son père. Malinier le prit sur ses genoux et, sans se soucier d'être compris, lui parla de ses années de guerre, de ses blessures, de tout ce qu'il avait enduré et qui aboutissait à ça : la racaille marxiste au pouvoir et les ouvriers faisant la grève sur le tas pour manger du poulet à tous leurs repas. S'il avait eu son mot à dire, lui Malinier, il leur en aurait foutu, des élections et du poulet. A coups de galoche dans le train, voilà comment il aurait rendu la populace aux sentiments de l'honneur et de la hiérarchie. D'une drôle de façon qu'il leur aurait parlé d'humanité, de justice sociale et d'autres foutaises et boniments de curés en chaleur.

— Mais quoi, on ne compte pas plus que si on était des vieilles femmes, faut pourtant bien se mettre ça dans le tronc. Ah! misère de Dieu! être là, solide, prêt à tout, sentir que la France vous fond dans les mains et rester comme au cinéma, sans pouvoir y faire rien de rien!

Inquiet, Gilbert écoutait sans comprendre et cherchait dans le regard de son père le secret de cette grande douleur qui altérait sa voix. Malinier le remit à terre et s'en fut manœuvrer les boutons du poste de radio pour avoir une émission en langue étrangère. Les concerts le laissaient indifférent, mais les langues étrangères, bien qu'il n'en comprît aucune et peut-être pour cette raison, lui procuraient un peu de l'extase et de l'absence de soi-même, que lui refusait la musique. Il réussit à prendre un poste de Barcelone et se délecta d'un copieux discours à la louange du Front Populaire espagnol.

A quatre heures moins le quart, les époux Malinier étaient prêts à sortir. Gilbert et sa sœur Jacqueline, une fillette de deux ans, achevaient de goûter. Élisabeth s'informa auprès de son mari s'il avait encore de l'argent.

— Tu as déjà dépensé les cinquante francs que je t'ai donnés lundi ? reprocha-t-elle doucement.

Il fournit quelques explications embarrassées et empocha d'un air repentant les cinquante francs qu'elle sortit de son sac à main. Ils descendirent ensemble dans la rue de la Condamine et après avoir renouvelé ses recommandations à Malinier, Élisabeth partit de son côté. Le père et les enfants, au petit pas de Jacqueline, cheminaient lentement vers la rue des Batignolles, conformément à l'itinéraire du dimanche. Déjà loin, Élisabeth tourna la tête et les enveloppa d'un regard tendre et vigilant.

Pontdebois accueillit lui-même la visiteuse à la porte et la fit entrer dans son cabinet. Il ne possédait sur son compte que des renseignements d'ordre psychologique et sentimental, fournis par la correspondance des deux amants et qu'il considérait du reste comme des témoignages incertains. Il lui avait écrit à une adresse tracée sur une enveloppe de la main même de Lasquin et qui était celle de la rue de la Condamine. Elle avait aussitôt téléphoné pour prendre rendez-vous et, sans objecter ni hésiter, accepté de le rencontrer chez lui, ce qui paraissait à Pontdebois du meilleur augure.

Dès l'abord, il le prit avec elle sur le ton de politesse bienveillante, nuancé d'un humour léger, qu'il adoptait naturellement avec les écrivains sans influence, les femmes de petite vertu, les théosophes, les vieux colonels retraités et autres farceurs de l'existence.

— Subitement, dit-il, répondant à une question d'Élisabeth. Nous déjeunions rue Spontini et il est mort au milieu du repas, entre la truite et le canard à l'orange, sans que rien n'ait averti les convives d'une fin aussi soudaine. Hémorragie cérébrale. Sans doute mon cousin s'était-il beaucoup dépensé dans les derniers temps. Son usine n'était pas non plus sans lui occuper un peu l'esprit. Et voilà comment, ce jour-là, nous avons été privés de canard à l'orange. Dans les quelques secondes qui ont précédé sa mort, il a prononcé votre prénom. Comme Mme Lasquin ne s'est jamais appelée Élisabeth et comme les convives étaient des gens d'infiniment de tact, personne n'a entendu ce dernier adieu.

Connaissant Pontdebois par tout ce que lui en avait dit Lasquin, Élisabeth n'était pas trop surprise de ce ton badin. Il conta comment Chauvieux était entré en possession de l'album photographique et le lui avait remis à toutes fins utiles.

— Au risque de paraître indiscret, je vous dirai que j'ai regardé ces photos avec beaucoup d'intérêt, au point qu'il m'est venu une grande impatience de vous connaître. J'ajoute que je ne m'en séparerai pas sans un vif regret.

Pontdebois appuya ces dernières paroles d'un sourire embarrassé. Maintenant qu'il venait au fait, Élisabeth devenait redoutable. Ce genre de femme, qui était à l'honneur dans ses romans, l'intimidait par sa beauté. Il lui semblait qu'à cette harmonie des proportions fût liée une maîtrise de soi-même, qui devait assurer à une telle créature une lucidité parfaite et en faire un témoin gênant dans les choses de l'amour. Il pensait avec une certaine nostalgie à sa maîtresse du moment, une petite brune ramassée, très en fesses, et dont la féminité un peu animale le mettait à l'aise. Toutefois, il ne renonçait pas à son dessein. Ayant une revanche de romancier à prendre sur la vie, il lui plaisait pour d'obscures raisons de rivalité remontant à leur prime jeunesse, de la prendre aux dépens de Lasquin. Élisabeth attendait avec sérénité que son attitude se précisât.

— Depuis que je détiens cet album, dit Pontdebois en approchant son siège du sien, j'ai beaucoup réfléchi au coup qui vient de vous frapper. Moi-même, j'ai été très touché par la mort de mon cousin qui était pour moi comme un frère. Cette affection, qui ne s'est jamais démentie, m'impose naturellement des devoirs envers toutes les personnes qui lui étaient chères, en particulier à vous qui avez été son dernier souci. Une disparition aussi soudaine n'a pu manquer de causer dans votre vie un bouleversement. Il est bien juste que je m'en inquiète. Sans parler de ma situation d'écrivain, je dispose, moi aussi, d'une certaine fortune. Je pourrais apporter à votre grande peine toutes les consolations auxquelles vous êtes en droit de prétendre.

— Vous semblez ignorer que je suis mariée, fit observer Élisabeth.

— Je l'ignorais en effet, mais ceci ne change rien aux choses et votre couturier, par exemple, n'en reste pas moins à vos ordres.

— Je fais toutes mes robes moi-même.

Pontdebois faillit insister, mais Élisabeth semblait s'amuser du tour que prenait la conversation.

— Vous êtes une femme bien mystérieuse, dit-il.

— Mais non, je suis justement sans mystère. C'est probablement ce qui vous déroute.

— En tout cas, si j'osais être curieux, j'aurais bien des questions à vous faire.

— Faites vos questions. Si je puis y répondre, j'essaierai de contenter votre curiosité. Pour simplifier les choses, je vais même déblayer le terrain. A l'âge de dix-huit ans, j'ai épousé un homme qui en avait trente-huit et qui en a maintenant quarante-cinq. Il est employé dans une compagnie d'assurances et nous avons deux enfants. D'accord avec lui, j'ai, depuis plusieurs années, réservé une part de ma vie pour en faire ce que bon me semble. Il y a un an, au retour d'un voyage chez mes parents, j'ai rencontré M. Lasquin dans la salle d'attente d'une petite gare et il est monté avec moi dans mon compartiment de troisième classe. Voilà tout le mystère. Et maintenant, s'il vous reste quelque curiosité...

— Je crois bien! s'écria Pontdebois. A telle enseigne que je ne sais pas trop par quel bout commencer. Voyons, ce tailleur d'été, qui est d'une façon si charmante, l'avez-vous fait vous-même?

— Oui, mais je vois bien ce qui vous étonne. Vous vous dites que M. Lasquin était très riche.

Pontdebois protesta pour la forme et Élisabeth, qui commençait à s'animer à ces confidences, poursuivit :

— Vous vous demandez pourquoi je n'ai pas accepté d'être habillée rue de la Paix. C'est que je veux tout devoir à mon mari, mes robes, mes chapeaux et même cet agrément de l'existence que peut être un amant et qu'il veut bien m'accorder. Dans ma salle à manger Henri II, j'ai un chromo dans le goût du vôtre. C'est un souvenir de notre voyage de noces au Mont Saint-Michel. Quand mon mari me l'a offert, j'ai été très contente et je le regarde toujours avec plaisir. Je me sens vraiment sans reproche devant lui. Je reste fidèle à tout ce qu'il représente de ma vraie vie, celle d'une femme de petit employé. Oui, M. Lasquin était très riche et je ne l'étais pas du tout. Pour ma part, je n'ai jamais été gênée par une distance qu'aurait pu mettre entre nous cette différence de conditions, mais votre cousin en a souffert. Mon manteau garni en lapin et mes robes de quatre sous l'intimidaient beaucoup. D'autre part, je crois qu'il est dur, pour un homme qui aime, de ne pas pouvoir donner. Depuis sa mort, j'ai quelquefois regretté de ne pas lui avoir laissé cette joie, mais je ne pouvais pas. Et puis, il y a tant d'hommes qui souffrent de ne pas pouvoir donner parce qu'ils sont pauvres.

— Ai-je droit encore à d'autres questions?

— Certainement. Pour vous mettre à l'aise, j'ajoute qu'il m'est agréable d'y répondre.

— Ce que j'ai à vous demander est particulièrement indiscret. Je voudrais savoir pourquoi vous avez aimé mon cousin.

— C'est, je crois, parce qu'il était riche. Je suis comme les pauvres gens qui aiment bien, au cinéma, voir de belles demeures et des hommes en habit pour lesquels l'argent ne compte pas. Moi, un peu plus exigeante, j'ai demandé à la vie ce qu'ils vont chercher sur l'écran. J'aime assez mon mari et mes enfants pour être riche deux ou trois soirs par semaine sans souffrir le moins du monde de la médiocrité de notre existence. A propos, il faut que je vous remette les clés de l'appartement.

Élisabeth prit deux clés dans son sac et les tendit à Pontdebois.

— Pour nos rencontres, M. Lasquin avait meublé à grands frais un appartement dans la plaine Monceau. Peut-être conviendrait-il de prendre une décision au sujet des meubles, soit que vous les fassiez enlever, soit que vous vous arrangiez avec le propriétaire.

— C'est très embarrassant, dit Pontdebois. Je ne peux rien faire de ma seule autorité. C'est aux héritiers à aviser et j'aime autant vous dire que je ne tiens pas à les mettre dans le secret.

— Vous pourriez expliquer la situation au propriétaire et vous accorder avec lui.

— C'est très joli, mais je ne peux pas me charger de faire un sort au mobilier. Où voulez-vous que je le mette? Du reste, en le faisant enlever, je me rendrais coupable d'un détournement de succession ou de quelque chose d'approchant.

Pontdebois avait posé les clés sur une petite table basse, à proximité des deux sièges. Élisabeth les remit dans son sac et il eut l'impression et presque la certitude d'avoir laissé passer la chance.

— Il me reste à vous remercier, dit-elle.

Élisabeth s'était levée et paraissait soudain pressée d'abréger sa visite. Malgré les efforts de Pontdebois, elle partit dans les cinq minutes, emportant l'album de photographies. Après l'avoir accompagnée à la porte, il médita rageusement sur son échec et convint qu'il s'était montré insuffisant. Comme toujours, il avait péché par excès de délicatesse, négligé de paraître à son avantage, de faire jouer les prestiges de la renommée. Niaisement, il s'était intéressé aux bavardages de cette femme de petit employé, qui n'avait même pas paru se douter que le fait d'être reçue par Luc Pontdebois était une faveur enviée. Il aurait dû, carrément, amener la conversation sur ses livres, lui faire admirer l'originalité de son appartement et le sens profond, cosmique, de son ameublement dépareillé. Elle était partie sans même savoir que pour aller aux vécés, il fallait sortir sur le palier et monter neuf marches. Pontdebois s'apaisa pourtant au souvenir des confidences qu'on venait de lui faire. Singulière créature, bien digne d'être l'héroïne d'un de ses romans, et singulière situation, tout à fait neuve, combien puissamment originale et inattendue et donc lourde et riche de signification et non dépourvue d'une certaine grandeur, que celle d'une femme de gratte-papier, bonne mère et bonne ménagère, couchant avec un très grand industriel sans y gagner un sou. Les lecteurs diraient Pontdebois, c'est inouï ce qu'il est puissant, nuancé, profond et, sans l'air de rien, subversif en diable. Il se mit à prendre des notes.

Cependant, Élisabeth téléphonait dans un café de la rue de l'Université et disait : « Allô, je voudrais parler à M. Chauvieux.

— C'est moi, répondit Chauvieux.

— Je suis cette amie de M. Lasquin, dont vous connaissez le

prénom d'Élisabeth. Je souhaiterais avoir une entrevue avec vous.

— Rien n'est plus facile.

— Est-ce possible aujourd'hui? merci. Cette après-midi même? Je suis confuse. Et puis-je aussi vous demander de venir au numéro 9 de la rue de Phalsbourg, troisième étage? J'aurais voulu vous éviter ce dérangement, mais vous comprendrez tout à l'heure pourquoi je ne l'ai pas fait.

L'appartement de la rue de Phalsbourg était composé de quatre grandes pièces que Lasquin avait meublées avec tendresse. L'ensemble était une harmonie fondante de tons gris et roses et semblait conçu pour apaiser une imagination de pensionnaire, sans toutefois tomber dans la mièvrerie. Tout y était d'un luxe délicat, enveloppant et tout y paraissait utile. L'artiste avait réussi là le chef-d'œuvre qui consiste à condenser la force ou la richesse de telle sorte que l'œil y trouve un plaisir d'économie. La salle de bains n'avait pas été traitée avec moins de raffinements et la forme même du bidet était d'une prévenance exquise.

Élisabeth, très émue, se promenait dans les quatre pièces et à la vue des meubles, des tapis, des tentures, le cœur lui fendait. Cet appartement avait tenu une grande place dans ses amours, si grande qu'elle ne laissait guère à Lasquin. Celui-ci, en tant qu'accessoire du décor, avait le mérite de ne pas imposer une personnalité excessive. C'était un homme très distingué auquel la passion ne tirait jamais le moindre rugissement. Élisabeth songea que Luc Pontdebois, ricaneur et susceptible, n'aurait pas eu la neutralité aristocratique de son cousin et qu'au reste il n'eût pas été un amant admissible. C'était là une réflexion gratuite, une divagation à fleur d'esprit. A ce jeu et toujours avec la même curiosité distante, elle se demanda quelle figure ferait Chauvieux dans les meubles de Lasquin, et s'il y avait en lui de quoi faire un amant agréable. Dans le même instant, il sonnait à la porte. Le visiteur avait une assez belle tête qui ne faisait pas mal dans l'appartement.

VI

Dans sa misérable isba, une jeune paysanne des bords du Don, vêtue de haillons et le regard sans âme, s'épuisait à un labeur ingrat et improductif. Son homme travaillait la terre avec des moyens primitifs et il se soûlait à la vodka et, avec une lueur ignoble dans les yeux, regardait les filles au corsage, comme font les individus sans culture et sans idéal. Un jour, l'esprit soufflait sur le village, les paysans mettaient en commun leurs ressources et leurs efforts. Bientôt, des machines perfectionnées venaient décupler le rendement de la terre, les moissons étaient grasses, les arbres ployaient sous la charge des fruits, les vaches et les cochons, logés comme des princes, pullulaient. Les villageois étaient indiciblement heureux. Le triste couple du début faisait maintenant plaisir à voir. L'homme conduisait un tracteur, et les croupes et les seins ne lui disaient plus rien du tout et la vodka non plus. Sa femme, les yeux brillants de plaisir, surveillait une machine à écrémer. A la maison, il lisaient des livres instructifs et se regardaient en riant chastement.

Le film était projeté en séance privée devant une élite de deux à trois cents personnes. De cette élite faisaient partie Mme Ancelot, sa fille Mariette, le boxeur Milou, Mag et son ami Alfred. Le public, merveilleusement compréhensif, saisissait les moindres nuances et les harmonies les plus subtiles qui se jouaient sur l'écran. Dans l'obscurité se propageaient de longues rumeurs d'admiration et d'ivresse artistique et parfois, distinct, un cri échappait à un spectateur accablé par tant de beauté profuse. Mme Ancelot était parmi les plus agités et si grande était sa fièvre qu'elle ne pouvait s'asseoir sur ses deux fesses à la fois, mais posait tantôt sur l'une, tantôt sur l'autre, et disait d'une voix saccadée, agressive aussi, comme défiant une armée de béotiens, de bourgeois crottés et de sépulcres blanchis : « C'est une chose étonnante. Étonnante. Oh! ce pommier. C'est bouleversant. Non, ce pommier. La puissance de ce pommier. C'est d'un paganisme formidable. » Milou, assis entre Mme Ancelot et Mariette, ne prisait pas beaucoup le spectacle et trouvait, par exemple, que le pommier faisait long feu. Un pommier, ça va en passant, mais quand il s'installe sur l'écran, c'est long, même s'il est vu sous des angles divers, même avec des frissons dans les branches. D'autre part, ces histoires de rédemption lui hérissaient le poil et celle-ci en particulier, avec ses brutes villageoises décrassées en trois coups de catéchisme et le bon Dieu sous-entendu qui dodelinait dans les pommiers. C'est qu'il connaissait la chanson. Quatrième né d'une famille de huit, le père croque-mort et rhumatisant, il avait vu défiler chez lui trop de dames patronnesses, de bonnes sœurs, de curés en froc ou en complet veston et aussi trop d'affamés de justice, tout ce monde rêvant à intégrer la misère dans un ordre satisfaisant pour l'esprit. Milou n'avait pas le moindre penchant pour les constructions de la morale et les espérances souffreteuses, qu'il laissait à ses frères et sœurs. Sans doute ceux-ci deviendraient-ils de bons chrétiens, de bons communistes ou militants de n'importe quoi, toujours prêts à payer d'avance. Mais pour lui, merci, plus souvent. Il voulait être et il se sentait fort, méchant, sournois, rusé, sans scrupules, pas dégoûté s'il le fallait, vrai homme enfin, luttant pour sa fringale.

Milou, seul peut-être de toute l'assemblée, trouvait le film assommant. Toutefois, il ne s'ennuyait pas. Il avait posé sa main sur le genou de Mariette et, profitant de l'obscurité, s'efforçait d'assurer son avantage. La jeune fille s'était défendue en silence, avait repoussé la main du garçon avec une vigueur significative, puis, lassée par sa persévérance, se contentait de serrer les cuisses et de maintenir sa jupe. Milou savait qu'elle ne l'aimait guère et qu'elle le supportait parfois avec impatience, mais cette disposition lui paraissait de peu d'importance. En moins d'une semaine, il avait appris à connaître la famille Ancelot et sentait que toutes ces femmes, égarées dans la recherche d'une esthétique nébuleuse, étaient incapables de réactions vigoureuses. En effet, la résistance de Mariette faiblissait peu à peu. Sur l'écran, un vieillard pleurait d'émotion en regardant la courbe furieusement ascendante de la production du blé et esquissait un entrechat. Mme Ancelot se pencha sur Milou en murmurant :

— Ah! c'est bien l'âme russe.

— De quoi?

— Je disais : c'est bien l'âme russe.

— Ah! oui. En plein.

Mariette avait entendu la réflexion de sa mère et, bloquant la main de Milou sur l'une de ses jarretelles, rêvait à l'âme russe, un doux oiseau qu'elle imaginait voletant au-dessus d'une sorte de fosse aux ours, dans laquelle des archanges bottés barattaient de sublimes catastrophes. Elle sentit soudain une envie de pleurer. Il lui semblait que l'oiseau fût entré dans son corsage et dans son cœur et il lui montait aux lèvres comme une prière d'enfant, un appel d'orphelin. Mais le spectacle, qui approchait de sa fin, n'était guère favorable aux enchantements. Sur l'écran, des machines fonctionnaient à plein rendement et montraient leurs entrailles de métal, animées d'un mouvement forcené. Des bielles, des pistons, des bobines, des engrenages, des courroies, viraient, vibraient, tourbillonnaient, sautaient à des vitesses affolées qui faisaient papilloter le regard. Mag, assise entre son ami Alfred et Mme Ancelot, fit observer à haute voix :

— Comme symbolisme, c'est une chose inouïe. Et d'une beauté !

— Oui, c'est vraiment bien, convint Alfred, mais c'est quand même un petit peu emmerdant.

— Ah ! non, protesta Mme Ancelot, ne dites pas que c'est emmerdant. Moi je ne m'en lasserais pas. C'est tellement vrai, ces machines qui tournent.

Les applaudissements éclatèrent à la fin du film. Une *Internationale*, amorcée par quelques voix, dont celle de Mme Ancelot, hésita une minute et rata dans la bousculade de la sortie. Il était à peu près dix heures et demie du soir. Le groupe Ancelot fit quelques pas dans la rue Saint-Martin en échangeant des impressions sur le spectacle. On devait retrouver Germaine et des amis dans un café de Montparnasse. Milou déclara que Mariette avait un fort mal à la tête et, malgré ses dénégations, décida qu'il marcherait un moment avec elle pour lui faire prendre l'air. Déjà Mme Ancelot était installée dans un taxi avec Mag et Alfred. Il claqua la portière, donna l'adresse au chauffeur et dit au revoir, à tout à l'heure. La voiture démarra sans laisser à personne le temps de s'étonner. Mme Ancelot, par la portière, fit avec sa main gantée un geste mutin à l'adresse des deux jeunes gens.

— Qu'est-ce qui vous a pris ? demanda Mariette. Je n'ai pas du tout mal à la tête.

— C'était manière d'être ensemble. J'ai pensé qu'on pouvait avoir quelque chose à se dire en douce, tous les deux.

Mariette voulut protester, mais il lui coupa la parole et dit d'un ton narquois :

— C'était joli comme tout, ce film soviétique. Moi, les machins russes, j'aime bien ça. C'est du film qui fait réfléchir l'homme, qui vous élève la pensée. En ce moment, je me sens prêt à n'importe quoi pour le bonheur du prolétaire.

Il l'avait prise par le bras et, quittant le boulevard Sébastopol, s'engageait dans une petite rue mal éclairée.

— Où allons-nous par là? demanda-t-elle d'une voix calme.
— A Montparnasse. C'est un raccourci. Vous verrez, on y sera en cinq minutes.

Mariette savait avec certitude où il voulait en venir et n'était nullement consentante. Le fait qu'il eût accédé à ses jarretelles dans l'ombre du cinéma ne signifiait rien pour elle, et l'idée qu'il pouvait en prendre avantage ne lui vint même pas. Pourtant, elle ne trouvait pas le moyen de couper court à ses entreprises. Un sentiment vigilant de la liberté, jouant à l'envers, lui faisait craindre de se comporter selon des préjugés bourgeois, ridiculement désuets, et l'obligeait à considérer la situation dans son déroulement esthétique, comme si une autre qu'elle-même y eût été intéressée. Elle avait conscience d'une pénible défaillance d'égoïsme, qui paralysait une détente animale de l'orgueil et de la volonté. Tandis que Milou lui prenait la taille, certaines formules du répertoire habituel lui venaient à l'esprit : « C'est amusant, il a un réel dynamisme, c'est une situation paradoxale, ça ne manque pas de beauté, ça a de la gueule, l'atmosphère y est, c'est assez baudelairien, on ferait un joli travelling, suggérer la scène du coït par l'atmosphère, c'est d'une pureté formidable, aucun chiqué, tout s'inscrit dans une perspective de rêve, une page de Dostoïevski, réalisme féerique, une brute splendide, rien de conventionnel, un raccourci synthétique d'une puissance folle, l'ensemble est d'un érotisme inouï, un fondu et on enchaîne, un brutalisme bouleversant, des latences étonnantes, une poésie énorme. »

Il l'entraînait dans des rues étroites et peu fréquentées. L'humeur de Mariette rendait la conversation difficile et le chemin semblait long. Enfin, il s'arrêta devant un hôtel d'une catégorie plus relevée que celle des établissements du voisinage, à en juger par la façade neuve aux marbres noirs et l'entrée relativement spacieuse, ornée d'une plante verte. C'est gentil, hein? dit-il avec quelque fierté. Mariette regarda l'hôtel, regarda Milou, et parut hésiter ou chercher en elle-même une résolution encore incertaine. Bien qu'elle eût un peu l'air d'une mise en demeure, l'invitation du boxeur n'avait rien en soi qui la révoltât. Dans le cercle de ses amis, on admettait que le désir d'un homme pût s'exprimer sans trop de précautions, voire avec brutalité, et il était également bien vu qu'une femme s'y soumît dans un esprit de communion artistique ou simplement pour affirmer sa liberté. Mariette l'entendait bien ainsi, mais au seuil de l'hôtel, elle était en train de faire une étrange découverte que le formulaire où elle avait puisé tout à l'heure était impuissant à lui dissimuler. En regardant Milou, elle éprouvait le sentiment inattendu d'appartenir à une espèce supérieure à la sienne. C'était une certitude agressive ne devant rien à la réflexion et moins encore à la morale. Ce joli garçon, de toute évidence, n'était qu'une crapule sournoise encore imprégnée des relents d'innommables bas-fonds, un sordide petit forçat de la société, en rupture de chaîne, et Mariette se voyait elle-même comme une créature aristocratique, née pour être servie, à l'occasion, et détestée par des individus appartenant à cette engeance. Pareille façon de voir eût bien surpris Mme Ancelot et le cercle des amis. Mariette s'en étonnait elle-même, mais le fait était là et s'imposait comme une évidence sensible ne prêtant à aucune discussion. Milou, lui, n'avait jamais perdu de vue cette distance qui aurait dû les séparer et il commençait à s'en effrayer. L'examen silencieux dont il était l'objet de la part de Mariette le troublait. Ces filles de bonne famille, qui se donnaient le plaisir d'être de plain-pied avec le premier venu, lui semblaient recéler des prestiges redoutables, échappant à ses moyens de connaissance et il craignait d'avoir fait fausse route.

— Allons-nous-en, dit Mariette.

Voyant que tout était perdu, Milou eut un accès de rage qui n'osait pas s'exprimer librement.

— J'ai pas l'habitude qu'une femme me fasse ces chansons-là, moi. Faudrait tout de même pas confondre. Quand j'ai dit une chose, elle est dite. Moi, je parle direct et j'agis franchement. Je prends toutes mes responsabilités. Mais j'estime que la femme doit être loyale.

Amusée par ce jargon, elle ne put se défendre d'un sourire et pensa par habitude : « C'est magnifique, ça a une gueule inouïe. » Au sourire, Milou sentit revenir sa chance. Prenant Mariette aux épaules, il la regarda aux yeux, de tout près, et murmura d'une voix suppliante :

— Mariette, j'ai tellement envie. Vous ne pouvez pas me laisser comme ça, dites, Mariette. Ça ne serait pas bien. Je vous jure, Mariette, j'en peux plus.

Ce désir en détresse ne la laissait pas insensible. Il y avait là une charité à faire. Et vraiment, il était joli, ce garçon, bien pris dans son petit costume, il était joli. Sans avoir rien décidé, Mariette pénétra dans le vestibule de l'hôtel, poussée par Milou qui lui avait pris le bras et le serrait à toute poigne.

— Voyons, lâchez-moi, dit-elle, vous me faites très mal et c'est inutile, je vous assure.

Dans l'ascenseur qui les monta au troisième étage, un garçon d'hôtel aimable et loquace leur énuméra les commodités de la chambre. Il s'adressait à Milou avec déférence, et à Mariette avec une cordialité familière qui lui fut très désagréable. Elle se souvint qu'elle était encore libre de choisir et voulut croire que le fait d'entrer dans un hôtel avec un homme ne l'engageait en rien. Dans la chambre, elle s'assit sur une chaise, les jambes croisées et la joue sur l'index, comme si elle eût été en visite. Milou lui en fit la remarque en précisant qu'on n'était pas dans un salon, mais dans une chambre à coucher. Tu nous fais perdre du temps, ajouta-t-il.

— Tiens, dit Mariette, vous me tutoyez ?

Elle le toisa d'un regard indulgent, avec la sorte de curiosité que peut inspirer une espèce inférieure et, quittant son siège, s'en fut assurer son chapeau devant la glace et vérifia l'ordonnance de son tailleur. Milou s'était assis sur le lit et semblait ignorer sa résolution, mais lorsqu'elle passa devant lui pour gagner la porte, il lui décocha un vigoureux coup de pied qui porta un peu au-dessus de la cheville. Mariette poussa un cri de douleur et eut un mouvement pour se pencher sur sa cheville endolorie, mais elle se ressaisit aussitôt et fit en boitant les quelques pas qui la séparaient de la porte. Celle-ci était fermée et la clé ne se trouvait plus sur la serrure.

Sans se préoccuper de ce que pouvait faire Mariette, Milou se déshabilla en chantonnant. Adossée à la porte, elle le regardait avec une haine désespérée et n'avait même plus le désir de s'enfuir. Le fait de s'abandonner à l'étreinte du boxeur lui semblait maintenant fort peu de chose, simple péripétie dans une aventure qu'elle prévoyait longue et dont le dénouement retenait déjà toute son attention. Ayant dépouillé tous ses vêtements, Milou tourna sa nudité à l'endroit et dit : « Tu te défringues ? » Et pendant que Mariette se déshabillait :

— Tu m'as l'air assez bien faite, dit-il en s'asseyant sur le lit, et tu as une petite figure qui n'est pas mal non plus. J'en suis bien content pour toi, mais tu sais, ce n'est pas tellement ce qui m'a décidé. Des jolies filles, il en court les rues, et pour pas bien cher. Non, vois-tu, ce qui me plaît chez toi, c'est l'éducation, les leçons de piano, les meubles de famille, le papa qui gagne de l'argent. Ces machins-là, moi, ça m'émeut. Tu n'imagines pas combien tu fais distingué, même en soutien-gorge et les cuisses à l'air. Et cette façon de dire que vous avez, tes sœurs et toi : « C'est une chose inouïe! c'est d'une poésie! Ah! c'est d'une beauté! » Tu ne voudrais pas le redire pour moi? Mais non, je n'insiste pas, tu n'es pas en train. Tout à l'heure, ça te viendra bien mieux. Allons, dépêche-toi, enlève ton petit caleçon. Je suis pressé de savoir comment ça se passe avec une fille de famille. Il faut que je te dise, c'est toute une histoire. Mon papa, à moi, il était croque-mort. Dans les derniers temps, quand il avait ses rhumatismes, il m'arrivait de faire des remplacements. Je mettais son petit uniforme P. F. et vas-y pour les réjouissances. Un jour, dans une maison bourgeoise, je me présente avec les collègues pour enlever les os d'un grand-père chéri qu'avait décédé, mais voilà que dans le couloir, mon soulier se délace. Le temps de relacer, je reste à la traîne, et en me relevant, je bute dans une demoiselle qui sortait d'une chambre. Une jeune fille charmante, dans ton genre, de la distinction, du piano, de la modestie, enfin, tout. Figure-toi qu'elle est devenue toute pâle et qu'elle m'a regardé, non, je ne peux pas te dire comment. Pauvre mignonne, j'ai bien compris, les croque-morts, ce n'était pas son milieu. Allons, dépêche-toi, bon Dieu. J'en ai marre de toujours attendre. Je vais te montrer un truc. J'ai quelque chose à te faire voir en travelingue, comme vous dites.

Mariette était prête pour le sacrifice. Elle prit encore le temps de téléphoner et demanda l'établissement où l'attendait sa mère. Nue, les pieds dans ses souliers à talons hauts et le récepteur à l'oreille, elle ressemblait à un dessin de *La Vie parisienne.*

— Allô, maman? ici Mariette. Je téléphone pour prévenir que nous n'irons pas vous retrouver. Ne nous attendez pas.

— Bon. Tu es rentrée à la maison?

— Non, nous sommes à l'hôtel.

— A l'hôtel! comment, mais quel hôtel?

Mariette eut un air de férocité qui fut un mystère pour Milou.

— Ma foi, répondit-elle, je ne sais pas au juste. C'est un petit hôtel près de la rue Saint-Denis, je crois.

— Voyons, c'est insensé, dit la voix aigre de Mme Ancelot, je ne comprends pas. Qu'est-ce que vous faites, dans cet hôtel?

— Mon Dieu, rien d'extraordinaire. Nous sommes dans une chambre. Milou est tout nu et moi aussi.

— Quoi? mais tu perds la tête. Il faut rentrer tout de suite.

— Il est bien tard, maman, vraiment bien tard. En tout cas,

ne sois pas inquiète, même si je ne suis pas encore là quand vous rentrerez. J'espère bien ne pas faire de mauvaise rencontre. Bonsoir, maman.

A l'autre bout de la ligne, dans sa cabine téléphonique, Mme Ancelot, éberluée, oubliait de raccrocher et murmurait : « Tout nus dans une chambre, ah ! non, c'est un peu fort. Tout nus. » Pourtant, elle s'habituait tout doucement à cette idée que Milou et Mariette s'aimaient sans contrainte. A la vérité, il n'y avait de surprenant, dans cette histoire, que l'image du couple. Mme Ancelot en vint à considérer les choses objectivement, c'est-à-dire avec le léger recul de sa conscience, qui laissait toute l'initiative à son tempérament artiste. « Étonnant, splendide, formidable, pensa-t-elle aussitôt. On voit si bien ça en travelling. Ces deux enfants nus dans une chambre d'hôtel borgne, c'est d'une pureté bouleversante. » En quittant la cabine téléphonique, elle hésita si elle ferait part de la nouvelle devant les amis attablés en compagnie de Germaine. L'effet était sûr. Un retour de pudeur, qu'elle jugea du reste sévèrement, l'empêcha de rien dire.

— Hullo ! mamouchka ! fit Germaine en agitant la main. Qu'est-ce que c'est ?

— Mariette téléphone qu'elle a encore mal à la tête et qu'elle préfère rentrer.

— Moi, je considère que la révolution est faite, dit Alfred. Je pense que d'ici quinze jours, nous aurons les quatre ou cinq cent mille cadavres qui sont indispensables pour souligner l'importance de l'œuvre accomplie.

— Cinq cent mille vies qui seront donc sacrifiées délibérément, fit observer Mag. Sacrifiées presque de sang-froid. C'est formidable.

— Je trouve ça d'une pureté bouleversante, dit Mme Ancelot qui venait de reprendre sa place.

VII

Pontdebois, vêtu d'une robe de chambre à ramages passée sur son pyjama, achevait la lecture des journaux du matin. Il était à demi allongé dans son fauteuil, et ses pieds nus, pas très propres, posaient sur sa table de travail. Noël, le valet de chambre, époussetait les meubles avec un plumeau. Son maître exigeait qu'il fît le ménage de son bureau devant lui, non pas pour le surveiller, mais pour avoir une compagnie. Noël, un petit vieillard alerte, à l'œil rusé, était à son service depuis seize ans. Laissant tomber son journal, Pontdebois lui demanda :

— Noël, qu'est-ce que vous pensez de la situation?

Le valet de chambre se retourna et répondit aimablement :

— C'est le gâchis, Monsieur. Nous allons à l'abîme avec leur Front Populaire.

— Sincèrement, Noël?

— On ne sait pas. Hier après-midi, pendant que Monsieur n'était pas là, il est venu un communiste dans ma cuisine pour m'abonner à un journal des gens de maison. Il m'a dit bien des choses justes : que je travaillais trop, que je n'étais pas assez payé...

— Vous l'avez mis à la porte?

— Je n'ai pas osé. J'ai cru tout d'abord qu'il était envoyé par Monsieur, comme je sais que Monsieur a des idées avancées.

— Vous vous fichez de moi, Noël?

— Oh ! Monsieur. Il paraît tout de même que le Front Populaire va faire avoir une grosse retraite aux vieux travailleurs.

Pontdebois, pensif, regarda ses pieds nus, mais distraitement, sans voir qu'ils étaient sales. Noël, son plumeau pendant la tête en bas, restait attentif et déférent.

— Avez-vous de grosses économies ? demanda le maître.

— Je ne sais pas, Monsieur. C'est assez embrouillé.

— Tout à fait entre nous ?

— Deux cent cinquante mille francs, Monsieur.

— Fichtre, vous me coûtez cher. Eh bien, mon ami, à votre place, j'achèterais de la livre ou du florin. C'est ce que je suis en train de faire pour mon compte.

— Je ne peux pas, Monsieur, mon argent est placé.

— Tant pis. Les établissements auxquels vous avez prêté réaliseront l'opération avec votre galette. Décidément, Noël, il n'y aura jamais de retraite pour les travailleurs. La retraite, ce serait la fin de l'épargne et le métier de banquier perdrait beaucoup de son agrément. Mais croyez-moi, vendez votre paperasse et achetez de la livre.

Noël fut impressionné par l'instance de ces dernières paroles. Après avoir demandé quelques explications, il parut envisager sérieusement l'opération conseillée.

— Je dois toutefois vous faire observer, dit Pontdebois, qu'en agissant ainsi, vous travaillez contre votre pays.

— Oh ! si Monsieur s'en fiche, moi aussi.

— Mais bon Dieu ! je ne m'en fiche pas ! s'écria Pontdebois. Mon intention...

Interrompu par la sonnerie du téléphone, il prit l'appareil et répondit en déguisant sa voix :

— De la part de qui, s'il vous plaît ? M. Duperrin ? Je vais voir si Monsieur est là.

Il appliqua une main sur le récepteur et, se retournant vers Noël, reprit de sa voix naturelle :

— Vous m'avez mal compris. Quand je dis que j'achète du florin, j'exagère. Simplement, je prends quelques précautions et je m'y résous à regret. De tout mon cœur, Noël, je souhaiterais aider mon pays et d'ailleurs, je l'aide avec ma plume. Mais je ne vais pourtant pas me laisser mettre sur la paille parce que le pays se sera offert l'amusement de placer un homme de lettres à la tête de son gouvernement.

— M. Blum serait un homme de lettres ? Monsieur m'effraie. Monsieur a raison, il faut acheter de la livre.

Pontdebois se remit à parler dans le téléphone.

— Mon cher ami, bonjour. Excusez-moi, j'étais en conférence avec un confrère.

— Navré de vous avoir dérangé, maître. Je vous téléphone de l'imprimerie. J'ai attendu votre papier jusqu'à la dernière limite et, ne voyant rien venir...

— Ah ! c'est vrai, ce papier que je vous avais promis ! J'ai eu tellement d'affaires ces jours-ci que j'ai complètement oublié.

— Nos lecteurs seront très déçus. Accepteriez-vous de me faire au pied levé une déclaration dans l'esprit qui aurait été celui de votre papier ? quelque chose qui soit une vue désintéressée des événements.

— Bon. Je vous dirai donc que je suis avec une attention passionnée, angoissée, le développement d'un conflit qui m'apparaît à la fois comme un aboutissement et comme un départ, et j'ajouterai comme un moment de l'humanité en proie à son destin. Je dois avouer qu'en une telle conjonction, je me soucie beaucoup moins de l'aspect extérieur de la bataille et de certains avantages tactiques, que du sort des valeurs universelles, qui requiert toute notre vigilance. Pour moi, en effet, l'intellectuel conscient de ses responsabilités doit s'appliquer à reconnaître partout où elles se trouvent ces valeurs essentielles, éparses dans la lutte de doctrines et de partis. Dans la confusion inhérente à la mêlée des forces en effervescence, c'est à nous qu'incombe la défense de l'humain et des fins les plus hautes de l'être social. Mission ingrate, car le souci de rester objectifs oblige les plus purs d'entre nous à s'écarter de l'action, quel que soit notre désir de nous y jeter. Heureux ceux qui n'ayant point failli à leur lourde tâche, auront su penser et vouloir dans le sens de l'humain et de l'universel, sans égard aux contingences du présent. Il leur appartiendra, l'heure venue, de tracer les larges voies de l'avenir dans la perspective des destins spirituels de l'homme, où l'agitation d'un moment ne saurait effacer l'ombre de la Croix, toujours grandissante jusqu'à la démesure de l'infini.

Pontdebois fit relire la déclaration par son interlocuteur et y intercala un couplet légèrement gauchisant, qui faisait ressortir l'intérêt qu'il portait au sort des classes laborieuses. Ayant parlé du progrès social, il se reprit, jugeant que ces deux mots accouplés rendaient un son primaire, lourdement radical, et les fit remplacer par : « expression sans cesse élargie de la symphonie sociale ». Le pensum terminé, il respira un grand coup et dit à son valet de chambre qui était en train d'épousseter le chromo :

— Qu'est-ce que vous pensez de ce morceau d'éloquence, Noël ?

— C'était très beau. Mais on n'aurait pas dit que c'était Monsieur qui parlait. Monsieur avait l'air si sérieux, si grave.

— C'est que vous venez de m'entendre dans l'exercice de mon saint ministère. Je suis un grand écrivain, Noël, un penseur. Je pense comme je respire, sans y penser. Heureusement, dans l'ordinaire de la vie, j'ai assez d'honnêteté pour ne pas ressembler à mes professions de foi ou à mes romans. Mais dites-moi, que pensez-vous du chromo, le paysage en bleu...

— C'est joli, c'est gai, mais Monsieur me pardonnera d'être franc, je trouve que ça fait bon marché. On voit trop que c'est à la portée de toutes les bourses.

— Bien sûr, sans compter que la mode est en train de se vulgariser. Mais parlons plutôt du déjeuner d'aujourd'hui.

— Comme Monsieur m'avait donné toute liberté, j'ai décidé de refaire le déjeuner du poète à barbe et des deux dames de l'Odéon.

— Soit, mais ne nous faites pas un repas trop plantureux. J'aimerais donner à M. Lenoir l'impression que je suis un peu avare. Il en aura plus d'estime pour moi et M. Chauvieux me pardonnera de le laisser sur son appétit. Et maintenant, Noël, laissez-moi. Il me vient une bonne main, tout d'un coup. Je sens que je vais écrire un chapitre admirable.

Pontdebois prit dans un tiroir le manuscrit d'un roman psychologique dont l'originalité consistait en cela que l'idée de la grâce y était transposée sur le plan profane. Une jeune femme de bonne bourgeoisie, grande et mince, se mariait, donnait des réceptions, prenait un amant, faisait des confitures, empoisonnait son beau-père, fondait une œuvre charitable, et toutefois n'excellait dans aucune de ces activités, car il lui manquait une sorte de grâce sanctifiante, ce qui l'empêchait de s'accomplir dans le bon comme dans le pire. Les autres personnages, à peine plus heureux, étaient des prédestinés qui retrouvaient parfois quelque liberté pour prononcer un mot à l'emporte-pièce ou faire une vacherie à un vieil ami. Les admirateurs du célèbre romancier s'accordaient à reconnaître que son inspiration était d'un jansénisme déchirant et hautain et que toute son œuvre, même dans ses parties où Dieu n'était pas nommément impliqué, proposait du monde une vision austère au centre de laquelle se dressait la croix. Dans ses romans, Pontdebois ne parlait jamais de la Vierge ni des saints, que ce silence même dénonçait comme une quincaillerie sentimentale à l'usage des bonnes femmes et des petites gens sans culture. Ce catholicisme stérilisé était bien vu à l'archevêché, car il aidait à assurer la liaison avec les hérétiques et les libres penseurs.

Pontdebois achevait de s'habiller lorsque Chauvieux arriva, comme convenu, quelques instants avant l'heure fixée pour le déjeuner. Ils s'entretinrent de la situation à l'usine, qui était des plus tendues. Chauvieux doutait maintenant que l'intervention de Lenoir pû être de quelque efficacité. La question réglée et mal réglée, puisqu'elle restait pendante, Pontdebois parla d'Élisabeth.

— Je ne vous ai pas vu depuis dimanche. Oui, elle est venue dimanche après-midi chercher l'album de photos. Petite bonne femme jolie, plutôt maniérée que vraiment distinguée, mais avec des côtés amusants. Affectant la simplicité et laissant paraître la morgue d'une certaine petite bourgeoise rogneuse et romanesque dans laquelle se recrutent les sous-chefs de file communistes. Mais je comprends que mon cousin se soit laissé accrocher. C'est tout de même une belle fille, pas très racée pour mon goût, mais belle fille. Vous savez, elle venait avec l'intention arrêtée de me taper. Heureusement, j'ai pris tout de suite le ton qu'il fallait. Avec ce genre de femme, si on se laisse déborder, on est perdu. Elle a d'ailleurs admirablement compris. Mais je serais bien étonné si vous n'aviez pas affaire à elle un jour ou l'autre. Elle va certainement frapper à toutes les portes. Si elle ne m'a pas demandé votre adresse, c'est qu'elle doit l'avoir déjà.

— A propos, dit Chauvieux, je suis sur le point d'en changer. Je vais aller habiter rue de Phalsbourg, près du parc Monceau.

— Compliments. Vous vous mettez dans vos meubles ?

— Non. Un appartement meublé. Je n'aurai pas le téléphone.

— Vous avez bien raison. C'est assommant. Vous êtes passé rue Spontini, ces jours-ci ?

— Oui, j'y ai déjeuné avant-hier. Rien de nouveau. Ça va.

— C'est une maison heureuse, dit Pontdebois, où tout respire la santé. On y meurt à table, solidement. Mais dites-moi, connaissez-vous ce jeune garçon qui accompagne Micheline au tennis et paraît prendre ses repas rue Spontini ?

— Il n'y prend que le repas de midi. Mon Dieu, je le connais comme vous, ni plus ni moins. Est-ce qu'il vous paraît inquiétant ?

— Pas spécialement. Mais vous savez aussi bien que moi où peut mener cette sorte d'intimité.

— Dans le cas particulier, je ne pense pas. Ce Bernard Ancelot me paraît être un garçon mélancolique et nébuleux, un peu intimidé par la fortune Lasquin. Je ne crois pas qu'il soit de ces mâles résolus pour qui les distances sociales ne sont rien. Et vous oubliez que Micheline est mariée depuis deux mois.

— Ce n'est pas une raison, fit observer Pontdebois. Une femme peut très bien aimer ailleurs après deux mois de mariage. C'est du reste ce qui arrive dans le roman que je suis en train d'écrire. Ce n'est pas rare du tout, vous savez.

Chauvieux crut comprendre qu'ayant des inquiétudes sur la vraisemblance de cette donnée romanesque, il espérait vaguement que la conduite de Micheline lui apporterait l'apaisement. Lenoir arriva sur ces entrefaites et comme il avait prévenu que son temps était très limité, on passa à table aussitôt.

Dès les hors-d'œuvre et sans trop essayer d'être habile, on en vint au fait. Il y avait dans la parole de Lenoir et dans sa physionomie, une brutalité entraînante qui décourageait la méfiance. On le suivait sur son terrain. Il convint qu'il était bien tard pour éviter la grève aux usines Lasquin, mais affirma qu'on pouvait en réduire la durée de façon appréciable. Surtout, il insistait sur la nécessité d'avoir une direction solide, car il prévoyait que pendant un très long temps après la reprise du travail, les choses n'iraient pas sans à-coups.

— C'est probable, dit Pontdebois. Mais Pierre n'a aucune expérience du métier. D'autre part, vous n'ignorez pas quelles raisons nous obligent à l'écarter d'un chemin réservé.

— Entièrement d'accord. Aussi n'est-ce pas à Pierre que je pense, mais à Louis, le second de mes fils. C'est l'homme qu'il vous faut. Je ne lui pardonne pas ce qu'il m'a fait. Quand on a comme lui l'étoffe d'un vrai patron et qu'on peut épouser une usine, on n'a pas le droit d'épouser une fille sans le sou. C'est une infamie. Mais enfin, je dois reconnaître que Louis est exceptionnellement doué pour faire un chef d'entreprise. Vu la tournure des événements, je ne prévois pas qu'il ait intérêt, avant plusieurs années, à entreprendre quelque chose pour son compte. En attendant, il aurait aux usines Lasquin une situation où il pourrait donner la mesure de ses moyens. Et puis, qui sait? le jeune frère de Micheline n'aura peut-être pas la vocation de l'industrie, auquel cas vous ne seriez pas si mécontents d'avoir Louis.

— Il n'est pas nécessaire que Roger ait la vocation, dit Pontdebois. Il suffit qu'il ait une usine.

— En tout cas, dit Lenoir, il est encore bien jeune. Ce n'est pas avant une dizaine d'années qu'il sera effectivement le patron. Ce qui importe, c'est de faire marcher l'usine pendant ces dix années-là, qui seront probablement dures. Enfin, à examiner les choses d'un autre point de vue et pour en revenir à la grève, il est nécessaire qu'un des miens soit à la direction des usines Lasquin. Si j'ai un traitement de faveur à demander, je serai plus à l'aise de le demander pour mon fils que pour Mme Lasquin. Vous le comprenez bien?

— A moitié seulement, fit Chauvieux. Nous ne savons pas qui nous réserve ce traitement de faveur.

— Je vous vois venir, dit Lenoir en riant. Vous imaginez un Comité des Forges ou quelque grand cartel disposant de moyens de pression sur l'adversaire et l'obligeant à ménager les Établissements Lasquin. Hélas! cher ami, ce serait trop beau. Ces grandes puissances, qui n'auront d'ailleurs pas de grèves dans leurs entreprises, n'ont pas d'adversaire. Elles ne connaissent que des concurrents et si elles venaient à s'intéresser aux Établissements Lasquin, ce serait pour leur donner éventuellement le coup de grâce et fortifier d'autant leur propre position. Non, les patrons indépendants n'ont rien à espérer de ce côté-là.

Et malgré leur bonne volonté, les politiciens et les chefs de parti ne peuvent rien pour nous.

— Alors ? interrogea Pontdebois. Les financiers ?

— Vous voulez rire. Ils ont partie liée avec les trusts.

— Alors ?

— Devinez.

— Langue au chat.

— Mon protecteur est un coiffeur qui tient boutique près de la gare de l'Est. Je lui confie ma tête depuis cinq ou six ans et l'année dernière, j'ai eu la chance de lui rendre service en engageant dans mon usine un de ses neveux, ingénieur en chômage. Pour une fois où j'ai eu un mouvement désintéressé, j'en suis magnifiquement récompensé. Il se trouve que mon coiffeur est devenu, je ne sais comment, l'un des hommes les plus influents du jour. J'ignore jusqu'où peut aller son pouvoir, mais le fait est que tout ce que je lui ai demandé jusqu'à présent semble avoir été pour lui jeu d'enfant.

VIII

Le fantôme de Lasquin était discret, transparent et toujours courtois. Chauvieux n'avait pas à s'en plaindre, mais depuis qu'il avait apporté ses valises dans l'appartement de la rue de Phalsbourg, il n'avait pas eu un instant l'impression d'y être chez soi. Il lui semblait être descendu chez Élisabeth et la jeune femme, involontairement, le lui faisait sentir. En s'éveillant d'une étreinte, elle avait l'air de rentrer de voyage et de constater avec un rien de réprobation, qu'il y avait un homme dans ses meubles.

— Élisabeth, j'aurais aimé vous accueillir dans la chambre d'hôtel que j'ai quittée pour m'installer ici.

Elle se coiffait dans la salle de bains, d'un mouvement qui faisait glisser les manches de son peignoir et découvrait ses bras nus. Du seuil de la chambre à coucher, Chauvieux, en manches de chemise et les mains aux poches, cherchait son regard dans le miroir.

— Pourquoi? dit-elle, trop occupée de ses cheveux pour le regarder.

— Dans ma chambre d'homme, je crois que j'aurais su vous obliger à plus d'abandon. Ici, vous êtes retranchée.

— A quoi faites-vous allusion?

— Je trouve que vous ne vous déployez pas. Jamais vous ne

me sautez au cou en poussant un hurlement, jamais vous ne me sautez à pieds joints sur le ventre, jamais vous ne vous approchez à pas de loup pour me faire coin-coin dans les oreilles...

— Vous voudrez bien m'en excuser, mais je manque de dispositions.

— Ce n'est pas vrai. Vous avez des dispositions étonnantes. Du reste, quand je parle de coin-coin dans les oreilles, il ne faut pas l'entendre à la lettre. Je rêve simplement d'une intimité plus abandonnée, plus vivante. Malheureusement, vous vous êtes fabriqué je ne sais quelle morale de l'amour...

Élisabeth se retourna et fit observer avec un rire assez satisfait :

— C'est une morale on ne peut plus libre.

— Il vous semble. Tenez, je vais vous raconter votre histoire. Vous avez épousé un homme de vingt ans plus âgé que vous et un beau jour, vous vous êtes avisée que cette différence d'âge vous donnait droit à certaines compensations. Sans entrain, vous avez pris un amant pour apaiser votre conscience d'ayant droit. C'était un jeune homme rieur, un peu exubérant, qui fumait du tabac anglais dans une longue pipe et venait au rendez-vous vêtu d'un gilet de daim vert à fermoir éclair. Vous l'avez supporté pendant plus d'un an, mais il manquait de ce sérieux et de cette dignité correspondant au sentiment réfléchi que vous aviez de votre droit à la vie, et vous avez cessé de le voir.

— Ce jeune amant est une invention gracieuse, mais qui me vieillit un peu. Continuez.

— Puisque vous m'y invitez. L'année dernière, vous avez enfin rencontré un homme dont la situation sociale et la personne même offraient toutes les garanties souhaitables. Vous pouviez prendre un amant sans mésuser de votre droit. Vous alliez donc être heureuse et rendre heureux l'homme que vous aviez choisi. Mais votre conscience veillait. N'allait-elle pas vous reprocher de prendre plus que votre dû ? Que diable, la vie n'est pas une amusette et le droit à la vie n'est pas une invitation au plaisir. Aussi avez-vous décidé de n'accepter aucun cadeau de votre amant, ni rien de ce qui aurait pu vous rapprocher. Ne me dites pas que ces considérations sont bassement humaines et n'ont rien à faire avec les sentiments. Imaginez deux amants partant pour Venise, l'homme dans sa voiture grand sport, et le tendre objet roulant à bicyclette à côté de l'Hispano. Il aurait infiniment mieux valu pour eux, dans ces conditions, de ne pas partir. Je vous assure, quand vous m'avez raconté cette histoire, l'autre dimanche, elle m'a choqué. On aurait dit une chose pas vraie, inventée pour un roman-feuilleton. Ce qui m'a peiné, ce qui me peine encore, c'est que vous en soyez fière.

— Bref, vous me trouvez ridicule ?

Le visage empourpré, Élisabeth tournait le dos au miroir et ses yeux brillaient de colère. Chauvieux lui dit d'une voix tendre :

— Naturellement, chérie, je vous trouve tout à fait ridicule. Mais j'aime que vous ayez ces yeux-là. Positivement, je vous adore, Élisabeth. Allons, approchez, sortez vos griffes, laissez aller votre colère, déchaînez-vous. J'aimerais tant avoir l'occasion de vous brusquer un peu. Quand je vous prends les lèvres, la taille, ou n'importe quoi, j'ai trop souvent l'impression que ma bouche ou ma main ne rencontre que votre conscience et, bien entendu, ce n'est pas la même chose. La morale ne dispose guère à l'amour, ni à quoi que ce soit, du reste. Son rôle est de s'interposer, d'amortir, d'empêcher. Ainsi tout à l'heure, quand je vous serrais très passionnément dans mes bras et qu'il vous a paru opportun de me rappeler que Malinier était un vieil ami à moi. Je vous ai répondu grossièrement : « Je m'en fous. » Sur quoi vous êtes allée vous recoiffer dans le cabinet de toilette pour me signifier que les doux ébats n'auraient pas lieu. J'en suis bien navré. Dans tous mes états, quoi. J'ai bien envie, cher cœur, de vous jeter sur ce tapis de caoutchouc, ah ! oui, bien envie. Je prendrais votre petite tête par les cheveux, je la cognerais sur le tapis, et je vous dirais qu'en vérité, Malinier est un vieil ami, mais que je m'en fiche. Mais je n'ose pas. Question d'ambiance, comme je vous le disais tout à l'heure.

Cependant, Chauvieux avait fait un pas dans la salle de bains. Élisabeth, hors d'elle-même, le torse tragique et les narines battantes, s'écria :

— Ne m'approchez pas! je vous défends!

— Vous voilà prête à mordre. Ces modestes vérités sont-elles donc si déchirantes? Élisabeth, ne me regardez pas avec horreur, je vous en prie. Je ne suis pas l'homme pervers et démoniaque qu'il vous semble peut-être. Je voudrais simplement vous délivrer, vous apprendre à considérer la morale comme une nécessité de la vie en commun, sur laquelle il est inutile de raffiner. Quand vous circulez dans Paris, vous marchez sur les trottoirs et vous traversez la chaussée entre les clous, et c'est très bien pour vous et pour tout le monde. Mais quand vous êtes au milieu des bois, dans un joli sentier, n'inventez pas des trottoirs et des rangées de clous, ne supposez pas des feux rouges ou verts, et des agents de police aux aguets. C'est compliquer les choses sans aucun besoin, c'est gâter votre joie et dénaturer la vie de la forêt. Et si votre conscience a besoin d'apaisements, dites-vous bien que le fait de gambader librement par les sentiers n'empêche pas d'avoir un profond respect pour le règlement de la circulation dans Paris, même pendant que vous gambadez.

— Voilà un bon quart d'heure de morale, dit Élisabeth. Tout cela pour me signifier que vous n'avez pas toutes vos aises avec moi. Je regrette d'être trop collet monté pour votre goût, mais je n'y peux rien. Adressez-vous à des professionnelles.

— Ma foi, c'est une idée.

Chauvieux, agacé, s'en fut dans la chambre à coucher ajuster sa cravate et passer son veston. Du reste, il était trois heures moins le quart et il lui fallait, en voiture, une bonne demi-heure pour être à l'usine. Élisabeth l'ayant prévenu la veille qu'elle disposait d'un instant au début de l'après-midi, il était venu déjeuner dans le quartier.

— Je vous verrai ce soir ? dit-il depuis la chambre lorsqu'il fut habillé.

— Non.

— Demain soir ?

— Non, je ne reviendrai pas.

Chauvieux eut un coup au cœur. Il revint dans la salle de bains et dit : c'est sérieux ? Élisabeth inclina la tête.

— J'aurais souhaité vous faire des adieux copieux, Élisabeth, mais l'heure me presse et je n'ai vraiment pas le temps d'une larme. Adieu donc, chérie, et oubliez ce que je viens de vous dire. C'est radotage de vieux garçon. Je vous souhaite le bonheur dans la paix de votre conscience.

Chauvieux arriva à l'usine un peu déprimé. Il s'arrêta une minute à l'entrée pour considérer les trois groupes de bâtiments en W, entre lesquels étaient ménagées deux allées étroites, bordées de fleurs chétives. La lumière de l'été mettait en valeur les arêtes vives et austères de ces vastes hangars vitreux. Il ne percevait rien de l'activité des ateliers qu'un bruit de machine, étouffé et profond et qui semblait la respiration d'une ville endormie. En écoutant l'usine besogner sourdement, il devenait plus sensible à la nudité de cette cour pailletée de mâchefer. Elle lui remettait au cœur le vide menaçant d'une cour d'école traversée jadis pendant une heure de classe, alors que les bâtiments d'autour bloquaient derrière leurs vitres froides toute une vie remuante et mal résignée dont la plainte lui venait aux lèvres ; l'espace désert d'une cour de caserne, certain jour où il passait dans les chambrées activer les préparatifs d'une revue de détail et qu'il avait eu, en regardant par la fenêtre, le désir d'y voir pousser un arbre ; la cour d'un hôpital, dont la solitude, épiée par des fenêtres blêmes, l'avait averti de la mort d'un ami ; la cour d'une prison centrale, sa profondeur entrevue sous un ciel bas ; la cour d'un rêve épuisant qui le visitait parfois : nulle construction, nul tracé n'en indiquaient les contours et il s'obligeait à la délimiter strictement, par un effort mental qui lui était une torture. Ressaisissant ces angoisses qui veillaient au fond de son cœur, Chauvieux songeait vaguement à Élisabeth et à la modeste révolte qui se préparait peut-être derrière ces grands murs, et la grève, l'occupation, les résultats à en attendre, lui apparaissaient comme l'aménagement dérisoire d'une incurable misère dont toutes ces cours, surgies dans sa mémoire, lui offraient l'image et la sensation écœurante. L'idée même d'une véritable révolution restait si dépendante du décor et de toutes les données les plus importantes du problème qu'elle ne soulageait pas l'esprit. Au mieux, il ne pouvait s'agir que de travailler au nom d'un principe nouveau. Chauvieux songeait qu'on ne l'eût pas apaisé, ouvrier, en lui proposant des satisfactions d'ordre moral. Seule, la destruction de l'usine, croyait-il, aurait pu lui sembler raisonnable.

Depuis trois semaines, le travail s'effectuait dans une apparente discipline, mais qui ne pouvait tromper personne. Chefs d'atelier et contremaîtres sentaient quelque chose d'insolite dans les rapports professionnels qu'ils entretenaient avec les ouvriers. C'étaient d'insignifiantes manifestations d'humeur, un regard qu'on ne rencontrait plus, un mot qui manquait pour accueillir un ordre, une indifférence polie au reproche ou certaine façon vigilante d'ignorer une présence. Dans les trois derniers jours, ces symptômes s'étaient aggravés. Les ordres étaient parfois discutés, plusieurs contremaîtres avaient été pris à partie assez vivement, et les observations, d'ailleurs prudentes, étaient accueillies avec ironie.

En entrant à l'atelier de réparation des voitures, Chauvieux eut un spectacle singulier. Une querelle, dont le départ était futile, venait de s'élever entre deux ouvriers qui travaillaient sur le même moteur et, le ton de la dispute ayant monté, ils étaient près de s'empoigner. Des voisins avaient laissé leur travail pour faire le cercle et, prenant plus ou moins parti, jetaient de l'huile sur le feu. Le vacarme était tel que, de très loin, les regards se tournaient vers le groupe. Certains, même, pensant que l'ordre de débrayer fût donné, avaient posé leurs outils. Cependant, le chef d'atelier et les contremaîtres s'étaient éloignés du lieu du tumulte et feignaient, contre toute vraisemblance, d'ignorer l'incident. Ayant reçu de la direction l'ordre de ne prendre, à moins d'urgence absolue, aucune sanction, ils jugeaient inutile et dangereux d'intervenir dans la querelle.

— A quoi pensez-vous ? dit Chauvieux aux deux adversaires. Vous n'êtes pas ici pour régler vos comptes.

Le plus âgé des deux hommes, qui avait une cinquantaine d'années, lui répondit avec colère :

— C'est une chose qui me regarde. J'ai quand même le droit de calotter un morveux qui m'insulte.

— Me calotter ? dit l'autre. Si tu veux recevoir la fessée devant tout le monde...

— C'est bon, coupa Chauvieux, rangez vos taloches. Vous les retrouverez à la sortie. Ici, on travaille.

Il renvoya les curieux à leur besogne et, ramenant les deux adversaires à leur moteur, se fit expliquer en quoi consistait la réparation. Voyant que les choses s'arrangeaient, le contremaître s'était approché. Il n'essaya d'ailleurs pas de justifier son absence.

— Oudin, lui dit Chauvieux, voilà deux hommes de votre équipe qui ont failli se battre et qui ont dérangé les voisins de leur travail. A titre d'avertissement, vous ferez sur leurs paies les retenues d'usage en pareil cas. Et une autre fois, tâchez d'être là quand il y aura du flottement.

Il échangea encore avec les délinquants quelques réflexions sur l'usure prématurée de certaines pièces du moteur et après avoir fait le tour de l'atelier, alla donner un coup d'œil aux services du camionnage. Là, le chef se plaignait que pour les livraisons dans Paris, il y eût en moyenne une heure de retard sur les temps habituels. A l'observation qui leur en était faite, les gens du personnel roulant se bornaient à répondre que la circulation était plus difficile qu'à l'ordinaire.

Chauvieux se rendit ensuite à son bureau où il reçut la visite de Louvier, le directeur. C'était un homme de soixante ans, tourmenté par ses responsabilités au point d'en perdre le sommeil de ses nuits. Déjà informé de l'incident qui avait eu lieu aux réparations, il craignait qu'il n'eût des suites fâcheuses.

— Vous êtes intervenu très à propos, dit-il d'une voix prudente. C'est une chance que l'incident ait pu être réglé ainsi. Il aurait pu aussi bien, du fait même de votre intervention, tourner contre nous et entraîner les conséquences les plus graves. Nous nous trouvons en face d'une situation tout à fait exceptionnelle. En somme, nous devrions être en grève et si nous nous trouvons, pour ainsi dire, en sursis, c'est à n'en pas douter grâce aux mesures de prudence qui ont été arrêtées. Il y a là un état d'équilibre instable que peut rompre brusquement la moindre faute de notre part. C'est pourquoi nous sommes provisoirement tenus d'en user avec le personnel avec infiniment de tact et de doigté. J'ai pensé, nous avons pensé...

La sonnerie du téléphone l'interrompit. C'était Micheline qui demandait à parler à son oncle. Chauvieux aurait pu faire répondre qu'il n'était pas à son bureau, mais ce contretemps, qui gênait la manœuvre du directeur, n'était pas pour lui déplaire.

— C'est toi, Micheline ?

— Oui, oncle, répondit une voix hésitante. Je voulais vous dire... on ne vous a pas vu, tous ces jours-ci. Je voudrais vous voir.

— J'essaierai de passer rue Spontini ce soir après dîner.

— Bon. Mais j'aurais voulu vous voir seul. Par exemple demain soir, chez vous, vers sept heures ? ou même ce soir. Mais n'en parlez pas à Pierre.

— C'est si important? Eh bien, ce soir. Tu n'auras qu'à sonner. Il y a toujours quelqu'un.

Ayant raccroché, Chauvieux s'excusa. Le directeur dit, je vous en prie, et revint à ses moutons, mais il ne put reprendre son propos au point délicat où il l'avait laissé. Il lui fallait pour amener l'entretien où il souhaitait, s'appuyer sur des raisons encore présentes. Après un nouveau préambule, il découvrit enfin l'objet de sa visite.

— Il nous a semblé qu'en cette affaire, vous avez réagi d'une façon tout à fait normale et peut-être même trop normale, si l'on tient compte de la situation. A vrai dire, l'aisance avec laquelle vous avez réglé l'incident n'est pas ce qui m'inquiète le moins. Sans aucun doute, le personnel aura eu l'impression d'un sursaut, d'un raidissement de l'autorité, qui fera, à lui seul, l'objet de dangereux commentaires. Mais ce qui est plus grave, c'est que vous ayez donné l'ordre au contremaître de prendre des sanctions contre ces deux ouvriers. Franchement, elles sont tout à fait inopportunes et je suis sûr qu'après réflexion, vous serez de mon avis. A la rigueur, une réprimande se conçoit. Il faut un minimum de discipline, quelles que soient les circonstances. Mais ces retenues sur la paye sont du plus mauvais effet en ce moment où il est trop facile de les faire passer pour des brimades. Bien entendu, je n'ai rien voulu faire avant de vous avoir consulté, mais je crois qu'il serait politique de rapporter cette mesure et d'en informer sans retard ces deux ouvriers. On peut d'ailleurs le faire adroitement, avec une certaine bonhomie qui amènerait la chose tout naturellement.

Chauvieux fixait le bout de ses souliers et gardait un silence de mauvais augure. Pourtant, il hésitait encore sur la conduite à tenir. Il lui était facile de se montrer intransigeant. En effet, il n'était pas simplement administrateur du matériel. Depuis la mort de Lasquin, il représentait à l'usine les intérêts de la famille. Le fait que Louvier se fût dérangé en personne pour lui proposer le cas des deux ouvriers témoignait combien sa situation morale était devenue importante.

— Tout bien pesé et dans l'intérêt de l'usine, dit-il enfin, je refuse de m'associer à une pareille mesure.

— Il n'est pas nécessaire que vous y soyez associé. La chose peut très bien se faire en dehors de vous, presque à votre insu.

— Si la direction prenait parti pour les délinquants contre moi, je me verrais obligé de donner ma démission.

— Je crois que vous en faites une question d'amour-propre, soupira Louvier.

— Mais certainement, répliqua Chauvieux. Et ce n'est même pas assez dire. Je défends la cause de l'orgueil et s'il s'agissait d'infliger un démenti, non plus à moi, mais au contremaître, je ne serais pas moins intraitable. Mon attitude vous paraît peut-être bien légère, mais je suis persuadé que dans les circonstances où nous nous trouvons, elle est la seule vraiment raisonnable. J'ai eu l'occasion de vous le dire déjà plusieurs fois, je crains que la grève elle-même fasse beaucoup moins de tort à l'usine que les précautions qui auront été prises pour l'éviter.

— En parlant ainsi, vous prenez une assurance personnelle contre le risque que vous faites courir à l'usine, fit observer Louvier en riant.

Chauvieux répondit sèchement qu'il n'avait jamais eu ce genre de prudence. Lorsque Louvier fut parti, il regarda l'heure avec un peu d'anxiété. Il était quatre heures et demie. Si la grève se déclenchait dans la soirée, Louvier ne manquerait pas de lui en attribuer la responsabilité. S'étant lui-même défendu avec hauteur de vouloir prendre une « assurance personnelle », Chauvieux pensait ne pouvoir moins faire que de donner sa démission et cette perspective ne l'enchantait nullement. Il envisageait avec peine de retomber dans la vie médiocre et les tristes besognes d'autrefois. Ces deux années vécues dans une quiétude confortable l'avaient évidemment détrempé et il ne sentait plus en lui cette puissante indifférence de jadis aux hasards de l'existence. Plusieurs fois, il se demanda si l'engagement qu'il venait de prendre envers soi-même n'était pas une duperie de l'espèce qu'il haïssait le plus : la revanche sournoise d'une morale habile à envelopper ses commandements. Mais non, il n'avait qu'à imaginer sa situation à l'usine au cas d'une grève survenue dans la soirée. L'obligation de démissionner ne résultait pas d'un scrupule de conscience, mais d'un simple et irrésistible mouvement d'orgueil. Toutes ces réflexions n'empêchaient pas le temps de passer très lentement et l'anxiété de Chauvieux allait croissant. Jusqu'à la dernière minute la menace resterait suspendue, car l'occupation pouvait commencer à l'heure même où la journée de travail s'achèverait. Pour tromper l'attente, il s'efforça de penser à Élisabeth et à leur séparation qui lui parut une petite chose sans importance. Vers cinq heures et quart, il eut la visite de Pierre Lenoir venu chercher un renseignement dont il avait besoin pour son travail et le retint un instant. Pierre n'était pas pressé de retourner à son bureau.

— Ça ne va toujours pas très fort, répondit-il à une question de Chauvieux. Je n'ai vraiment aucune disposition et je m'ennuie à crever. J'aimerais mieux mille fois être fraiseur ou ajusteur ou conduire un camion. Ah ! la grève peut se déclencher et durer dix ans, je n'en ferai pas une maladie.

— Pourquoi ne pas expliquer les choses à votre père ?

— Bien sûr, c'est tout simple. Je n'aurais qu'à lui dire que le travail ne me convient pas et que je quitte l'usine. Le malheur, c'est qu'il m'est physiquement impossible de le lui dire, tout aussi impossible que de parler grossièrement à une vieille dame ou à une jeune fille. J'ai reçu une forte éducation à laquelle n'ont même pas manqué le pain sec et les gifles. Je suis donc solidement armé pour la vie. Quand mon père m'ordonne de travailler, je travaille, même si c'est inutile, je travaille en espérant que la terre va s'arrêter de tourner.

— Évidemment, approuva Chauvieux en connaisseur, il n'y a rien à faire. Mais peut-être pourriez-vous demander à votre frère de plaider votre cause. Quand il sera à l'usine, il aura toutes facilités pour faire entendre raison à votre père.

— Il faudrait d'abord le convaincre, lui. Autre impossibilié. Pour mon frère, refuser de faire une carrière dans l'industrie est une chose aussi absurde, aussi inconcevable, que de refuser sa part de paradis. Non, je suis condamné sans appel.

— Essayez de vous intéresser à votre travail. Les débuts sont un peu ennuyeux, mais plus tard, quand vous serez au courant, quand vous aurez des responsabilités...

Mais Pierre secouait la tête. Rien ne pouvait le réconcilier avec ce labeur ingrat, cette vie confinée.

— Si encore j'étais pauvre ou si j'avais de petits revenus, je me rendrais peut-être à la nécessité.

— Ne vous plaignez pas. L'ennui des heures de présence à l'usine vous fait mieux apprécier les joies du foyer.

— Bien sûr, bien sûr, dit Pierre d'une voix molle. Mais on ne peut pas non plus y penser tout le temps. — Il se reprit et ajouta avec plus de vivacité : — Et c'est dommage. C'est un tel bonheur de se retrouver à la maison.

Après le départ de Pierre, Chauvieux eut encore vingt minutes d'attente à compter. Enfin, la sirène émit le son court et voilé qu'elle faisait entendre depuis une semaine, le directeur craignant que l'ampleur d'un hurlement trop impératif ne froissât les ouvriers. Chauvieux, le cœur pincé, tenait son regard fixé sur l'une des allées qu'il découvrait, entre deux bâtiments, dans toute sa longueur. Il lui sembla que la sortie tardait singulièrement à s'effectuer. « Ça y est, je reste en panne avec un loyer de vingt mille francs et une femme de chambre. » Mais tout à coup, à intervalles réguliers, les portes déversèrent chacune leur file d'ouvriers et, en quelques minutes, l'allée s'emplit d'une foule bruyante qui s'écoulait paisiblement vers la sortie.

IX

Micheline fut un peu surprise qu'une femme de chambre vînt lui ouvrir la porte.

— J'ai rendez-vous avec mon oncle.

Elle manifesta le désir de visiter l'appartement dont la somptuosité ne l'étonna pas moins que la femme de chambre, et déclara qu'elle attendait son oncle dans la salle de bains. Ayant ôté son chapeau, elle vérifia l'ordonnance de sa coiffure et s'attarda devant le miroir. Sûre de sa beauté, elle cherchait dans les traits de son visage et dans sa silhouette quelque chose de moins facilement appréciable qui répondît aux mots : charme et sex-appeal. Micheline savait d'expérience que le charme peut tenir dans un sourire, dans la douceur ou la vivacité du regard, mais les sourires ou les regards qu'elle étudiait dans la glace la laissaient incertaine. Il lui semblait que son charme fût peu apparent et tel qu'on dût faire effort pour le découvrir. Bernard Ancelot lui parlait souvent de la sérénité et de la pureté de son visage, de ses yeux, de son corps, et à la réflexion, elle s'inquiétait d'avoir mérité des compliments trop discrets qui exprimaient plutôt le charme d'une jeune fille que celui d'une femme. Pour le sex-appeal, elle avait encore plus d'inquiétudes. Elle en avait souvent entendu parler par ses amies et s'effrayait d'une chose si aisément définissable et dont la réalité lui était presque impossible à fixer. Il lui revint en mémoire certain compliment grossier, traduisant évidemment une émotion sensuelle, qu'un homme avait formulé dans la rue à propos de ses jambes. Elle releva sa jupe pour les examiner dans le miroir, se pencha pour pincer le mollet à travers le bas de soie noir, comme si le sex-appeal dût s'en exprimer à la façon d'un jus de citron. Il lui parut que ses jambes étaient très bien faites, mais l'idée qu'elles pouvaient recéler un mystère la fit simplement sourire. Elle se mit alors à étudier ses yeux de tout près en jouant des paupières et des cils. Elle trouvait assez raisonnable de supposer que le principal du sex-appeal est dans le regard. Toute une littérature de l'œil l'y aidait : œil pervers, œil lubrique, œil luisant, regard diabolique, regard concupiscent, magnétique, chaud, ardent, brûlant, lourd, passionné, trouble, etc. Dans ses grands yeux clairs, Micheline ne voyait nul reflet d'enfer. Ils n'avaient rien, à son jugement, qui dût appeler un homme. Elle se souvint avec envie des yeux très noirs d'une vedette de cinéma dont l'apparition sur l'écran, disait-on, brûlait le sang des mâles, et le sex-appeal lui sembla un privilège des femmes brunes dont les prunelles sombres jetaient des flèches d'or. Elle soupira : « pourtant... » et souffla sur la glace une buée qui vint ternir la clarté de ses yeux. Alors, elle se sentit très triste et eut peur de voir apparaître son oncle.

Chauvieux entra sans être entendu et la surprit devant le miroir. Elle se retourna et sourit d'un air embarrassé.

— Je t'y prends, dit-il en l'embrassant. Va, tu es jolie en diable.

— Vous trouvez, oncle ?

Chauvieux, altéré, se rendit à la cuisine et Micheline le suivit en silence. Elle regardait avec appréhension les larges épaules de son oncle et la nuque où brillaient des cheveux blancs. Il fit couler l'eau froide et, tournant le dos à sa nièce, ouvrit un placard.

Elle fit un pas derrière lui et, d'une petite voix étranglée, murmura :

— Oncle...

Occupé à chercher un verre, il n'entendit pas. Elle avança d'un autre pas qui la porta presque contre lui et, la voix mieux assurée, prononça :

— Oncle, je voudrais divorcer.

Chauvieux se retourna brusquement et, nez à nez avec Micheline, plongea dans les yeux clairs qu'il voyait de très près, comme elle les avait vus elle-même dans le miroir. La limpidité du regard s'accordait si étrangement aux paroles qu'elle venait de prononcer et le doux visage était si loin d'exprimer un sentiment de révolte qu'il voulut douter. Micheline confirma d'un ton calme. Ayant avalé un verre d'eau, il la prit par la main et l'emmena dans sa chambre où il la fit asseoir sur un divan, à son côté. Il était ému en pensant qu'elle avait choisi de se confier à lui.

Aux questions qu'il fit, Micheline répondit avec embarras. Elle ne semblait pas avoir de griefs bien vifs contre son mari. Chauvieux pensa qu'en raison de leur caractère peut-être trop intime, il était difficile à une jeune femme de les formuler. Il lui prit les mains et dit en l'attirant contre lui :

— Voyons, ma petite Micheline, il y a peut-être des choses que tu n'oses pas me dire. Il faut pourtant que je sache. A un vieil oncle, on peut raconter n'importe quoi.

Comprenant l'allusion, elle secoua la tête et, pour la première fois, répondit avec une certaine exaltation.

— Non, ne cherchez pas, oncle. Simplement, je n'aime pas Pierre. J'aime Bernard Ancelot.

Chauvieux, à son tour, fut embarrassé. Le revirement de sa nièce ne lui semblait pas une catastrophe, mais il était difficile de ne pas considérer le problème d'un point de vue familial. L'amour de Micheline devait déplacer des millions et il n'aurait pas osé affirmer qu'en cette aventure, il s'agissait simplement du bonheur d'une femme. Le point de vue mondain n'était pas négligeable non plus. Les préjugés sont une réalité avec laquelle il faut vivre et compter. On pouvait craindre aussi que l'amoureux n'en eût d'abord à la fortune d'une riche héritière.

— Au moins, es-tu sûre qu'il t'aime, lui ?

— Non, répondit Micheline. Je ne sais pas. Il m'aime bien, mais je ne sais pas.

— Allons, raconte. Vous allez au tennis ensemble tous les matins. Et alors ?

— Rien. On joue.

— Mais qu'est-ce qu'il te dit ?

— Rien. On parle. Hier, en m'embrassant, il m'a dit que l'ovale de mon visage était très pur.

— Alors, il t'embrasse ?

— Oh ! il m'embrasse sur les joues et pas tous les jours.

A ces paroles de Micheline, les traits de Chauvieux reflétèrent un certain étonnement dont elle demeura saisie. Ses paupières battirent, sa bouche fit une petite grimace et, les cils mouillés de larmes, elle plongea dans ses mains. Il lui releva la tête et fit tomber les mains. La bouche ouverte et les yeux noyés, elle le regardait en sanglotant et les pleurs brillaient sur ses joues. Il essayait de l'apaiser avec des mots enfantins, mais elle eut une crise de larmes plus violente et s'écria d'une voix entrecoupée :

— Oncle ! Je n'ai pas de sex-appeal !

— Qu'est-ce que tu me chantes là ? protesta Chauvieux. Pas de sex-appeal ! mais si, voyons, mais si ! Tu en as même beaucoup !

L'énergie qu'il mit dans cette affirmation eut un effet apaisant. Elle demanda en essuyant ses larmes :

— Vous croyez, oncle ?

— Mais j'en suis certain. Je l'ai entendu dire assez souvent autour de toi. Et enfin, il n'y a qu'à voir, dans la rue, de quel air les hommes te regardent. J'en suis presque gêné.

— Tant mieux, murmura Micheline. Je serais si contente. Mais j'ai pensé que peut-être Bernard n'osait pas me parler à cause de Pierre qui est son ami ?

— Oh ! tu sais, les amis. Bien sûr, les amis. Personnellement, ça te gêne beaucoup que Pierre soit l'ami de Bernard ?

— Tout de même, je pense que si Pierre et moi étions séparés, Bernard se sentirait plus libre pour me parler.

— Voyons, ne mettons pas la charrue devant les bœufs. Tu ne vas tout de même pas divorcer simplement pour l'encourager à se déclarer. Et s'il ne se déclare pas ?

— Vous voyez bien, soupira Micheline, je n'ai pas de sex-appeal.

— Tu es ridicule, ma pauvre enfant, avec ton sex-appeal. Toutes les femmes en ont, sans exception et sans limite d'âge. Même les mannequins en cire, qui sont exposés aux devantures des magasins, ont du sex-appeal. Ce n'est donc pas la question.

— Alors ? dites-moi, conseillez-moi. Oncle, je suis venue vous voir pour que vous arrangiez tout.

— C'est bon, je verrai ton garnement ces jours-ci et je tâcherai de savoir ce qu'il a en tête, mais je suis presque persuadé qu'il ne t'aime pas. En attendant, tu réfléchiras encore. Songe que tu aimais Pierre quand tu l'as épousé. Et puis, tu es assez grande pour comprendre que l'amour est loin d'être dans la vie la chose la plus importante, surtout quand on est riche. Si chacun voulait suivre son inclination d'un moment, le monde entier passerait son temps à faire et à défaire ses valises. Il faut avoir le courage de vivre avec ennui, au moins quelques mois. On refleurit l'année suivante. Enfin, tu en conviendras, c'est embêtant de se dire qu'on est à la merci de quelques parties de tennis. On ne peut pas être très fier de soi en pensant qu'au lieu de Bernard, ç'aurait pu être Dupont ou Duréglisse. L'agrément de la vie, c'est de choisir en ayant l'air d'ignorer le hasard. Moi, la plus belle, moi la plus fière, je tomberais dans les bras du premier petit jeune homme qu'un courant d'air aura placé sur mes pas ? Allons donc ! L'homme que j'aimerai, je l'aurai voulu avant de le connaître, avant de l'avoir vu, il est né dans ma tête, il est devenu ce que j'ai voulu qu'il soit. Et en fin de compte, c'est Pierre Lenoir, c'est mon mari.

— Oh ! non, oncle, je vous assure. Pierre c'est le courant d'air, et c'est Bernard que j'ai voulu depuis toujours.

— Très bien, très bien. A propos, qu'est-ce qu'il fait dans la vie, ce garçon ?

— Ce qu'il fait ?

— Eh bien oui, tu tombes des nues. Jouer au tennis le matin avec une jeune femme, si charmante soit-elle, n'est pas une raison sociale. J'imagine qu'il se destine à un état. Il a bien dû te faire part de ses projets d'avenir ?

— Non, il ne m'a rien dit. Je sais qu'il était à l'École de Droit avec Pierre.

— Et ses après-midi, qu'en fait-il ?

— En général, il va se promener dans les bois de Meudon ou de Ville-d'Avray. Il aime beaucoup la forêt. Il paraît qu'il y a des coins délicieux, et tout près de Paris.

— En somme, il mène une vie très hygiénique.

— N'est-ce pas ? dit Micheline avec une tendre admiration. Ce matin encore, il me disait : « Je voudrais être garde forestier. J'aurais une petite maison au milieu des bois. Je me promènerais, je tendrais des collets. Le soir... » En disant le soir, il m'a regardée. Oh ! oncle, il m'a regardée. Et puis, il s'est arrêté et j'ai senti qu'il aurait voulu me dire encore quelque chose. Je crois que c'est ce qui m'a décidée à vous téléphoner cet après-midi.

— Charmant, cette vocation de garde forestier. Au fait, tu pourrais le caser très facilement. Tu sais que tu possèdes une forêt en Champagne ? Mais je plaisante et il commence à être tard. Tiens, je t'accompagne rue Spontini et je dîne avec vous.

Avant de partir, Chauvieux s'informa auprès de la femme de

chambre si Madame l'avait chargée de quelque commission pour lui. Madame n'avait rien dit. Ses clefs étaient restées sur la commode de la chambre.

— Probablement que Madame les a oubliées.

Rue Spontini, dans le jardin, en attendant le retour de Micheline, Pierre lisait *L'Auto* et Mme Lasquin un almanach prêté par la cuisinière. Chez les Lasquin, on achetait trois livres par an, les trois grands prix littéraires, et ils ne suffisaient pas tout à fait aux besoins de la famille. Les livres reliés de la bibliothèque étaient considérés comme des pièces d'ameublement dont on répugnait à déranger l'ordonnance. Les jours de grande disette, il arrivait pourtant à Mme Lasquin d'y puiser pour relire Gyp ou Henri Lavedan, mais, le plus souvent, c'étaient la cuisinière et les femmes de chambre qui fournissaient l'appoint.

Mme Lasquin fut d'autant plus satisfaite de la venue de son frère qu'elle avait des ennuis d'argent. Jusqu'alors, la question des revenus lui avait paru réglée comme le mouvement des astres, son mari ne l'ayant jamais instruite des problèmes que posait parfois une échéance ou une créance en péril. L'après-midi, s'étant aperçue que son compte en banque était presque à sec, elle avait eu un coup de panique et pris conscience d'une situation révolutionnaire en même temps que d'un grave péril menaçant la patrie. L'occupation des usines Renault, qu'elle considérait avec sympathie, comme une épopée méritant d'émouvoir un cœur bien placé, lui était apparue soudain sous un jour nouveau. Ce n'était plus la matière d'un feuilleton à épisodes, mais un événement plutôt sinistre dont le véritable sens s'exprimait sans aucun doute dans ces articles d'économie politique qu'elle n'avait jamais pu s'obliger à lire. L'almanach prêté par la cuisinière l'avait un peu réconfortée. Il y était démontré, à l'aide de petites vignettes tenant toute une double page, que la quantité de richesse par tête de Français faisait de celui-ci l'être le plus enviable de la planète. C'était tout de même une bonne nouvelle et Mme Lasquin en éprouva un certain sentiment d'euphorie. Cela n'empêchait pas le compte en banque d'être à sec. Pierre aurait pu donner un avis utile, mais il avait autant de pudeur, quant aux questions d'argent, qu'en ce qui concernait les choses de l'amour. Au lieu de demander à sa belle-mère les éclaircissements nécessaires, il s'était borné à lui démontrer qu'on ne saurait avoir à son compte rien de plus que ce qu'on y a mis.

Pendant le dîner, Chauvieux étudia le comportement des deux jeunes époux, mais rien n'avertissait d'un changement survenu dans leurs sentiments réciproques et Pierre ne semblait pas du tout s'inquiéter de l'humeur de sa femme. Micheline ayant décrit l'appartement de son oncle, Mme Lasquin manifesta le désir de le visiter. Il en fut un peu contrarié et détourna la conversation sur les études de Roger. Bon élève, le jeune garçon avait depuis quelque temps l'esprit occupé de questions sociales qui n'éveillaient au foyer que de faibles échos. En l'interrogeant, Chauvieux découvrit qu'il inclinait assez résolument vers le Front Populaire. Son meilleur ami au lycée était le petit-cousin d'un ministre de l'équipe Blum et lui-même ne savait pas très bien si cette amitié était à l'origine de ses convictions ou si elle était simplement un effet. Un autre de ses condisciples qu'il détestait depuis plusieurs années et avec lequel il avait échangé des coups de poing, s'était révélé d'Action Française, ce qui avait influé plus sûrement sur son choix. Chauvieux fit observer à son neveu qu'il était appelé à devenir plus tard le patron d'une grande usine.

— Mes ouvriers travailleront vingt heures par semaine, répondit Roger. J'achèterai autant de machines qu'il en faudra.

— Mon pauvre petit, mais où trouveras-tu l'argent nécessaire ? demanda Mme Lasquin qui pensait à son compte en banque.

— Je me priverai, voilà tout. Je mangerai au restaurant et je me contenterai d'un lit de camp dans mon bureau.

— Et ta femme ? objecta Micheline.

Roger n'y avait pas pensé. A la réflexion, il se promit de n'avoir point de femme, mais une maîtresse radieusement belle, ayant une forte poitrine et des goûts très simples. Toutefois, ce projet n'était pas de ceux qu'il pût avouer en famille.

— Si je me marie, ma femme sera ma secrétaire.

— Et tes enfants ?

— Je les mettrai à l'Assistance Publique.

Après le dîner, Chauvieux suivit sa sœur dans le bureau du rez-de-chaussée où elle lui confia ses embarras d'argent. Il lui expliqua que depuis la mort de son mari, il n'existait plus entre la maison et l'usine cette quasi-communauté de caisse, qui rendait si aisés les mouvements d'argent de l'une à l'autre. Les avances « usine à compte personnel » n'étaient possibles que dans certaines conditions et en observant certaines formalités. Il valait mieux compter sur les rentrées d'argent régulières. Du reste, les revenus de Mme Lasquin étaient assez abondants pour que cette pénurie fût accidentelle et, s'il en était besoin, la banque lui accorderait un large découvert.

Elle ne comprit pas grand-chose de ces explications, sinon qu'elle pouvait continuer à signer des chèques. Rassurée, elle dit à son frère :

— Tu me délivres d'un grand poids. Je n'avais vraiment pas besoin de ce nouveau tourment. J'ai déjà eu plus que ma part d'épreuves.

— Bien sûr, soupira Chauvieux.

— Penser que j'ai vécu auprès d'un homme qui me trompait cyniquement, c'est tout de même bien dur. Car il me trompait, oui, avec une créature du nom d'Élisabeth. D'ailleurs, sa dernière pensée, sa dernière parole ont été pour elle. Ah ! c'est affreux.

— Et tu étais au courant ?

— Mais non ! s'écria Mme Lasquin avec un accent de regret.

Je ne savais rien. J'étais confiante. C'est une femme qui m'a écrit la vérité, il y a trois semaines, sans quoi je ne saurais rien. Quelle chose épouvantable!

— C'est ennuyeux. Autrement, ça va?

— Vraiment, je te trouve extraordinaire, reprocha Mme Lasquin. Je te confie le plus grand chagrin de ma vie et tu n'en es même pas ému.

— C'est vrai, mais je suis persuadé que cette jeune femme n'était pour lui qu'une amie. Les hommes qui travaillent beaucoup ont besoin de ces amitiés de femmes. C'est presque toujours sans conséquence.

— Sans conséquence? Il l'emmenait dans une boîte de nuit et il lui pinçait les cuisses sous la table.

— C'est bien la preuve qu'ils étaient simplement des amis, affirma Chauvieux. Tu peux être tranquille. C'est à quoi on reconnaît l'amitié. Ainsi, moi, l'autre jour, j'ai rencontré sur les Champs-Élysées un vieux camarade de régiment. La première chose que nous avons faite, après nous être assis au café, a été de nous pincer les cuisses. Entre amis, c'est une chose qui va de soi.

Désenchantée, toutes ses illusions envolées, Mme Lasquin ne se débattait plus.

— Après tout, c'est possible, murmura-t-elle.

— C'est même tout à fait certain. N'y pense plus. Dis-moi, il m'a semblé, pendant le dîner, que les enfants n'étaient pas très gais, en particulier Pierre. A l'usine, je comprends qu'il soit un peu mélancolique, mais ici?

— Je ne crois pas qu'il ait aucune raison d'être triste et je ne crois même pas qu'il le soit.

Chauvieux amena la conversation sur Bernard Ancelot et, sans rien dire à sa sœur de ce qui l'y incitait, lui posa quelques questions sur le jeune homme et sur sa famille, mais Mme Lasquin ne savait rien de plus que ce que lui avait dit Micheline.

Le lendemain, à l'usine, il alla trouver le chef du service contentieux et, à titre personnel, lui demanda d'obtenir des renseignements sur l'activité professionnelle de M. Ancelot. Ces renseignements lui parvinrent dans les vingt-quatre heures et ne le firent pas avancer beaucoup dans la connaissance de Bernard. La fiche était ainsi rédigée :

M. Léonard Ancelot, 53 ans. En 1928, sous la raison sociale L. Ancelot, il fonde une agence de renseignements financiers qui se charge d'exécuter des ordres de bourse. Bureau au sixième étage, sous les combles, 26, rue Vivienne. Personnel : une secrétaire dactylographe. Clientèle provinciale. Les abonnés sont des porteurs de valeurs dépréciées, non cotées sur le marché officiel et dont ils n'espèrent plus rien, ce qui les rend faciles à manœuvrer. Sources de revenus pour l'agence : 1° Prix des abonnements (peu important). 2° Achat et vente de valeurs pour le compte des clients. Commission. Faculté pour l'agence de réaliser des bénéfices aux dépens du client qui n'a pratiquement aucun contrôle sur les opérations réalisées. 3° Placement de valeurs émises par des entreprises qui, du fait qu'elles ont un caractère généralement suspect, sont obligées de consentir des commissions très rémunératrices. 4° L'agence se fait donner mandat par certains porteurs de les représenter dans les réunions d'actionnaires où elle acquiert ainsi une importance dont elle peut tirer profit. — L'activité de l'agence n'a rien d'ouvertement répréhensible et n'a donné lieu jusqu'à ce jour à aucune poursuite. Les bénéfices réalisés sont difficiles à estimer, car ils ne laissent que peu de traces comptables. On croit pouvoir affirmer sans risque d'erreur qu'ils ne sont pas inférieurs à cent mille francs par an, la limite supérieure extrême étant trois cent mille.

X

Bernard et son père déjeunaient de café noir, Mme Ancelot de café au lait, Germaine et Mariette d'un jus de pamplemousse et Lili, qui relevait de fausse couche, d'un chocolat onctueux. Le dimanche matin, ce premier repas était pris en commun et la présence du père le rendait maussade, parfois orageux. On mangeait en silence et sans se regarder, sauf à lever sur lui, à la dérobée, un œil méfiant, scrutateur, car c'était à la fin du petit déjeuner qu'il examinait les dépenses de la semaine, qui étaient généralement au départ de ses grandes colères. D'habitude, il y avait, dans ce recueillement de l'attente, une tension des esprits et une solidarité tacite qui se reflétait sur le visage des femmes. Mais depuis son aventure avec Milou, Mariette vivait distraitement et à l'écart de ses sœurs, n'intervenant dans leurs bavardages que pour placer une réflexion acide. Ce matin, elle semblait plus particulièrement lointaine, étrangère au complot rituel. Pour Bernard, il était attentif, mais distant.

Assis à trois pas de la table, M. Ancelot lisait un journal financier et de temps à autre, à tâtons, allongeait le bras pour saisir sa tasse de café. Vêtu d'une chemise de nuit et d'un pantalon, la ceinture lâche, le ventre répandu, sa grosse tête rouge enfoncée entre les épaules massives qui tendaient le tissu de la chemise, il avait la silhouette des vieux lutteurs de foire rêvant, à l'heure du matin, sur les marches de la roulotte. Mme Ancelot et ses deux filles aînées, les cheveux pareillement pris dans une résille et le visage luisant d'une crème de beauté commençaient à le fixer avec insistance. La mère portait un pyjama russe de soie vive qui collait aux seins maigres et baladeurs. Le cheveu plaqué par son filet, la peau grisâtre et mal tirée, elle paraissait plus âgée que son mari. La vue de ce petit crâne vieillot posé sur le col du pyjama chatoyant navrait Bernard qui évitait de lever les yeux. Tout en surveillant la qualité du silence, il pensait à Micheline qui devait se préparer pour la messe à Saint-Honoré-d'Eylau et au singulier rendez-vous que lui avait donné l'oncle Chauvieux. Celui-ci l'avait informé qu'il l'attendrait ce matin à onze heures devant chez lui et l'emmènerait en voiture chez Lasquin où l'un et l'autre devaient déjeuner.

Le repas terminé, Mme Ancelot déplaça bruyamment son bol pour attirer l'attention du père. Voyant qu'il n'en remuait pas, elle lui dit :

— Alors, Léonard ?

Sans lever les yeux de son journal, il porta la main à la poche arrière de son pantalon et en tira un portefeuille. Sa femme et les deux aînées suivaient sa main avec un intérêt qui leur fit les yeux vifs. Il prit encore le temps d'achever la lecture d'un paragraphe et, levant la tête soudain, vit la direction des regards.

— Vous le reluquez, hein ? dit-il avec un ricanement.

Les deux sœurs se mirent à rire pour égayer un peu la pièce qui allait se jouer, mais la mère ne put s'y résoudre et dit en tendant une feuille de papier :

— Tu m'as donné deux mille cinq cents francs dimanche. Voilà le détail.

Il jeta sur le compte un coup d'œil hargneux, mais sans l'examiner sérieusement.

— Encore une réparation d'aspirateur ? interrogea-t-il. Cent cinquante francs. On le répare donc toutes les semaines ?

— On le répare quand il se détraque. En plus, tu me dois la facture du gaz, neuf cents francs. Je l'ai payée avec l'argent que tu m'as donné pour le tapissier.

— La facture du gaz? gronda M. Ancelot. Qu'est-ce que tu me chantes là? J'en ai déjà payé une l'autre dimanche.

— Je t'en prie, Léonard, ne recommençons pas l'éternelle comédie. Tu confonds toujours le gaz et l'électricité.

Il contesta encore et finit par se rendre en affirmant qu'il n'était pas dupe. Après avoir fourni aux dépenses du ménage, il passa au chapitre de l'argent de poche. Chacun des enfants recevait cent francs par semaine. Germaine et Lili se plaignirent du coût de la vie.

— Tu nous donnerais cinquante francs de plus par semaine, ça nous aiderait un peu. Rien que cinquante francs.

Lili lui avait passé un bras autour du cou et il se débattait, partagé entre le mépris et l'attendrissement.

— Enlève tes pattes. J'ai horreur qu'on m'embrasse. Comme si cent francs par semaine ne suffisaient pas pour vos imbécillités. Mais qu'est-ce que vous en faites?

— Papa, sois gentil, fais un effort. Depuis que Blum est là, tu gagnes ce que tu veux.

Elles le pressaient tendrement avec des rires et des cris, comme si sa résistance n'eût été qu'un jeu prévu. Il se secouait en riant et en jurant. A la fin, il compta à chacune cent cinquante francs et les avertit qu'il ne donnerait plus un sou dans le courant de la semaine. Mariette et Bernard s'étaient désintéressés du siège et avaient à peine levé la tête. Tandis que le père se préparait à les servir, Mme Ancelot, qui leur en voulait de n'avoir pas appuyé leurs sœurs, n'attendit pas qu'ils fussent en possession de l'argent et dit avec une tranquille perfidie :

— Il faudra aussi me faire un chèque.

Le père eut un sursaut et remit les billets de banque dans son portefeuille.

— Un chèque!

Il avait viré sur sa chaise et la regardait fixement. Elle détourna les yeux et soupira :

— Il faut bien payer la couturière. D'ailleurs, nous avons de la chance. Pour nous quatre, elle nous fait des prix vraiment avantageux. Un tailleur d'été, deux robes...

— Combien?

— Trois mille neuf cents.

Il eut un rugissement de fureur et jaillit de son siège. Son large crâne chauve était d'un rouge ardent, ses gros yeux s'injectaient. L'affaire promettait d'être sérieuse. Mme Ancelot, renversée sur le dossier de sa chaise dans une pose très affectée, s'installait comme au spectacle.

— Rien! pas un rotin! cria-t-il. Si tu veux des robes pour tes trois grandes bringues, tu les feras travailler!

Il eut un hennissement d'ironie et reprit :

— Travailler? mais à quoi, bon Dieu? des garces qui ne sont bonnes qu'à courir les cafés et les boîtes, à trousser la jupe et le boniment avec tous les cancrelats, les marlous, les puants du cinéma et du porte-plume, tous métèques, négrescants, macaques épouillés de l'avant-veille, qui reniflent le bouc et le cosmétique. Et d'abord, c'est fini, je n'en veux plus ici, vous m'entendez? Je ne veux plus que ma maison sente mauvais. On verra si je suis le maître chez moi. Je pisse au cul à M. Johnny et à tous vos oiseaux rares. Désormais, on ne recevra plus ici que les Provignon, les Lafeuillette, les Falempin avec leurs dames et leurs enfants, comme autrefois, nom de Dieu, comme autrefois rue des Trois-Frères. Et le dimanche, on rendra les visites ou bien on ira déjeuner chez l'oncle Éloi à Courbevoie. Ah! je vous en foutrai de la littérature et de l'originalité. Je vous en foutrai du cinéma et du travelingue. A Courbevoie! à Courbevoie!

Il reprit haleine et, considérant sa famille qui attendait la fin de l'algarade, il rugit avec désespoir :

— Mais quoi ! je suis résigné !... résigné !

L'idée d'une résignation qu'il jugeait imbécile l'emplit d'une colère folle. D'un coup de main, il fit voler un bol qui alla se briser sur l'angle d'un meuble. Ce premier bris de vaisselle l'ayant mis en train, il chercha quelque autre pièce à fracasser, mais chacun protégea son assiette. Pour apaiser ses nerfs, il se mit à arpenter la salle à manger en criant d'une grande voix tragique, qui fit battre, soudain, le cœur de Mariette :

— J'ai honte de mes enfants ! j'en ai honte tout le temps ! quand j'y pense et que je n'y pense pas. J'en ai honte dans le sang de mes veines ! Quand quelqu'un me dit qu'il a vu mes filles, j'ai honte, je me demande dans quelle sale boîte et avec quel rebut, quel goitreux des Carpates ou quel pithécanthrope inverti. J'ai honte de mes filles et quand on me parle de mon fils, j'ai honte encore bien plus. Un garçon de vingt-quatre ans qui ne fiche rien et qui ne fichera jamais rien ! non jamais ! pas seulement l'étoffe d'une petite crapule ! rien, du vent, du vide. Sa mère était enceinte à l'eau de bidet. Regardez-moi ce grand veau. Voilà pourtant mon fils, voilà ma famille. Ah ! non !

La honte et la douleur le faisaient bégayer et suffoquer. Des gouttes de sueur brillaient à son front. Il s'arrêta au milieu de la pièce et, repris par l'envie de briser, chercha autour de lui un objet fragile sur lequel apaiser son délire. Mme Ancelot, qui le surveillait, vit son regard s'arrêter au buffet où était rangée la vaisselle la plus précieuse. Elle n'hésita plus à actionner sous la table la sonnette du service, qui était, en pareille circonstance, un recours assez efficace. Il entendit grésiller le timbre au loin, dans la cuisine, et éclata d'un rire furieux.

— Quoi ? on m'envoie la bonne pour me faire taire ? justement, j'ai à vous dire que je ne veux plus de bonne à la maison. Je la flanque à la porte !

La bonne entra sur ces mots. C'était une assez jolie fille, bien faite, au regard hardi. M. Ancelot alla à sa rencontre et, la joignant presque à la porte, lui saisit les poignets en grondant : « Dehors ! va-t'en faire ta valise ! » Elle se mit à gémir :

— Monsieur Ancelot, vous me faites mal. Vous me faites mal.

Le buste renversé, elle se collait à lui d'un jeu souple et, toujours geignant, plantait dans son regard celui de ses yeux vacillants. Il hésitait déjà, troublé par cette faiblesse éhontée. La violence qui bouillonnait en lui ne s'apaisait pas, mais il lui sembla qu'elle changeait de direction. La servante ne prenait plus la peine de dissimuler son manège et l'invitait d'un sourire aguichant. La famille regardait le vaste dos du père qui s'encadrait dans le chambranle de la porte. Brusquement, il lâcha les poignets de la fille et, la prenant aux reins, il la pressa contre lui. Comme elle tendait ses lèvres, il la poussa dans le couloir et l'on entendit le glissement de leurs pas accordés vers le fond de l'appartement.

Tout en rangeant ses billets de banque dans la poche de son pyjama, Mme Ancelot regardait du côté de la fenêtre, d'un air plutôt indécis que gêné. Mariette l'examinait du coin de l'œil avec anxiété. Germaine sourit et murmura pour ses sœurs :

— Papa est quand même formidable.

— Il a un potentiel inouï, dit Lili à mi-voix. Cette scène-là, comme primitivisme, c'est quelque chose de fantastique. Moi, je trouve ça d'une beauté !

— Oui, c'était d'une vie ! d'une poésie ! J'ai envie de raconter ça à Valdor pour qu'il en fasse une nouvelle. Il a tellement de talent, ce petit-là.

— Je verrais plutôt un scénario, prononça Lili. C'est tout à fait cinéma. Évidemment, il faudrait des acteurs.

— Des acteurs américains. Il n'y a que les Américains pour avoir ce dynamisme-là.

— Jack Hougton serait sûrement épatant. Avec Nora Beresford dans le rôle de la bonne. Je vois très bien ça.

Mariette, qui n'avait encore rien dit, demanda avec une intention ironique qui passa inaperçue :

— Et pour maman ?

— Je verrais assez Suzy Clifton, répondit Lili.

Mais Mme Ancelot protesta. Elle n'aimait pas Suzy Clifton dont le jeu lui semblait lourd et vulgaire.

— Vera Molde serait beaucoup mieux dans mon rôle.

— Pas mal, Vera Molde, pas mal, approuva Lili. Je pense à un gag. Maman tiendrait un roquet dans les bras. Quand Hougton sort avec la bonne, le chien saute par terre et les suit jusqu'au milieu du couloir. Là, il s'arrête en regardant maman. Je ne sais pas si vous voyez l'effet.

Mme Ancelot, intéressée, hocha la tête. Germaine alluma une cigarette et dit en se levant :

— Non, je crois qu'il vaudrait mieux ne pas chercher le gag. Au contraire, rester dans une atmosphère de poésie sombre. De fantastique passionnel.

Précédant sa mère et sa sœur Lili, elle quitta la salle à manger et, dans le couloir, les trois femmes examinèrent s'il convenait de mettre l'accent réaliste sur le personnage de la bonne ou au contraire d'en faire une figure de rêve. Mme Ancelot inclinait pour une fille de lupanar, extatique et monstrueusement pure, répondant au prénom de Lioubotchka. Elle en profitait pour être elle-même une princesse tartare assez bien conservée.

Mariette et Bernard, sans bien s'en rendre compte, attendaient encore leurs cent cinquante francs. Mariette considéra un moment son frère avec un regard aigu et lui demanda :

— Bernard, pourquoi restes-tu à la maison ?

— Nourri et logé.

— Et encore ? je parle sérieusement.

— L'habitude. Un attachement animal à la famille qui me procure tout de même un peu de chaleur en même temps que le vivre et le couvert.

— Et nous, tes sœurs, est-ce que tu ne nous aimes pas un peu ? Tu ne réponds pas. Bernard, je t'aime beaucoup, tu sais.

— Mais oui, tout le monde s'aime, ici. Jusqu'à papa qui aime la bonne. Il y a dans la maison une atmosphère formidable.

Cette façon sarcastique d'accueillir une parole de tendresse ne déplut pas à Mariette. Les yeux brillants, elle saisit son frère par le bras et, la parole hésitante, lui dit d'une voix étranglée :

— Bernard, il faut que je te dise quelque chose. J'ai couché avec Milou, tu sais, le boxeur. Bernard...

Il avait eu un mouvement de colère. Il se domina et répondit en se levant :

— Je te félicite. Encore une scène d'un dynamisme inouï, hein ? Tiens, je pense à un gag : Johnny arrive dans la chambre et il se couche avec vous. Un joli travelling à faire, hein ?

Bernard, en riant très haut, sortit pour ne pas céder à la tentation de gifler sa sœur. Mariette réussit à retenir les larmes qui lui piquaient les yeux et, les coudes sur la table, le menton dans ses mains, retomba dans la rêverie qui l'occupait ordinairement.

A onze heures, Bernard trouva devant la maison la voiture de l'oncle Chauvieux qui l'attendait. L'oncle l'examina mieux qu'il ne l'avait jamais fait et fut assez favorablement impressionné par le visage du garçon. Il le fit asseoir à côté de lui et démarra aussitôt. La voiture ne roula guère plus d'une minute et s'arrêta derrière Saint-Augustin, le long du square Laborde.

— Monsieur Ancelot, j'ai à vous parler, dit Chauvieux. L'autre jour, Micheline est venue me trouver pour me dire qu'elle voulait divorcer.

Bernard resta immobile et muet. Chauvieux le vit pâlir.

— Vous n'étiez pas au courant ?

Bernard fit signe que non.

— Au moins, vous n'êtes pas sans vous être aperçu que Micheline vous aimait ?

— J'en ai toujours eu peur. Mais je ne savais pas. Je ne voyais pas.

— Vous me faites une réponse bizarre. Expliquez-vous. Est-ce l'amitié que vous portez à Pierre qui vous faisait craindre d'être aimé ?

— Non.

— Je le pensais bien, fit Chauvieux sans ironie. Mais puisque vous avez craint de vous faire aimer, le plus sûr était d'éviter Micheline. Vous avez justement fait le contraire. C'est donc que vous l'aimiez ? Vous ne me répondez pas. Croyez bien que ce n'est pas du tout pour vous passer un savon que je vous ai chambré. Je suis venu aux informations, simplement. Je ne représente ni le mari outragé ni les parents douloureux. Allons, dites-le, vous l'aimez. Je n'imagine pas quelle autre raison aurait pu vous détourner de vos occupations, parce qu'enfin, vous avez vingt-quatre ans, vous êtes d'un âge à vous inquiéter de faire une carrière. Ce n'est donc pas sans une raison puissante que vous passez auprès de Micheline un temps perdu pour votre situation.

En prononçant ces paroles, Chauvieux sentait revenir très vif le soupçon qu'il y eût dans la conduite de Bernard un calcul d'argent. Le jeune homme semblait indifférent à ce que pouvait penser l'oncle de Micheline et il n'était même pas sûr qu'il écoutât. Affaissé sur son siège, le corps inerte et les mains molles, il fixait d'un air stupide, à travers le pare-brise, un point de la rue où brillait une flaque d'huile. Chauvieux lui toucha l'épaule et dit sèchement :

— Je vous ai posé une question. Libre à vous d'y répondre, mais si vous vous y refusez, dites-le-moi.

Bernard tourna vers lui un visage morne et lucide. Chauvieux se souvint d'avoir vu autrefois cette expression de lucidité à un sergent-major qui devait se loger une balle dans la tête pour n'avoir pas à répondre d'un détournement de fonds. Il reprit d'une voix plus engageante :

— Je vous répète que vous pouvez vous confier tranquillement.

— C'est bien difficile à expliquer, dit Bernard. Il faudrait que je vous parle de ma famille.

Chauvieux l'y ayant encouragé, il parla de sa mère, de ses sœurs, de leurs enthousiasmes et de leur vocabulaire avec un entrain rageur qui animait singulièrement ces évocations. Pour se faire entendre plus sûrement, il raconta la scène qui avait suivi le déjeuner du matin.

— Vous pensez sans doute que je ne suis pas responsable de ma famille. C'est bien mon avis. Le malheur est que je ne me sens pas très différent de mes sœurs. Ce jargon et ce snobisme que j'ai essayé de vous décrire, j'en ai vécu. A force de penser et de sentir dans ce langage idiot, j'ai fini par me laisser abrutir. J'ai beau faire, je suis nourri de toute cette rhétorique pour coiffeurs esthètes et nègres de jazz-band. J'ai dans les moelles tous les thèmes modernistes, massistes, américanistes, sexualistes, brutalistes et autres de l'intellectuel artiste affranchi. J'ai appris une fois pour toutes à reconnaître le génie dans le beuglement d'un homme saoul et la beauté formidable dans un filet d'accordéon ou dans le regard d'une concierge hystérique. Avant de fréquenter Micheline, je n'en souffrais pas. Je retrouvais à peu près partout les mêmes façons de voir et de s'exprimer, un peu plus timides, un peu plus feutrées, ce qui me permettait de passer pour un garçon original et intelligent. J'étais très content de moi.

Bernard haussa les épaules comme s'il se tournait avec mépris à cette image de soi-même.

— J'ai rencontré Micheline. J'ai découvert en elle un équilibre merveilleux, dans ses paroles, dans ses pensées, comme dans les gestes de son corps. J'ai rencontré ce à quoi je n'avais jamais rêvé, une créature respirant l'ordre, l'exhalant comme un parfum. Sa richesse même me plaît comme une preuve de cet ordre parfait qui est le sien. Je trouve juste qu'elle soit riche. Et voilà, j'ai profité de son rayonnement, j'ai passé près d'elle de beaux jours tranquilles. Je savais très bien qu'ils auraient une fin. Elle est venue.

— Mais pourquoi ? protesta Chauvieux. Écoutez, j'aime bien Pierre Lenoir et je n'ai aucune envie de vous voir le supplanter auprès de Micheline, mais j'ai bien du mal à vous comprendre. Et d'abord, ce que vous me dites de vos sœurs me les rend très sympathiques, je vous assure. Leurs trépidations et leurs bourdonnements, avec tout ce qu'ils comportent d'erreurs ou de ridicules m'ont l'air d'aller furieusement dans le sens de la vie. Je ne vois pas pourquoi vous en avez honte. Croyez-vous que si le but de leur vie était de préparer l'agrégation des sciences ou d'épouser un notaire, elles seraient moins exposées à l'erreur et au ridicule ? A première vue, elles semblent très différentes de Micheline, mais rien ne prouve que ce soit à leur désavantage.

— L'une de mes sœurs vient de me confier, ce matin même, qu'elle avait couché avec un boxeur.

— Ce boxeur est sûrement un beau garçon, solide, bien musclé. Que pensez-vous alors de Micheline qui divorce après deux mois de mariage pour se jeter à la tête d'un ami de son mari ?

— J'ai oublié de vous dire que le boxeur en question se fait entretenir par un vieux pédéraste.

— Évidemment, c'est fâcheux. Mais nous ne savons pas ce que ferait Micheline si elle apprenait que vous êtes entretenu par un pédéraste.

Bernard, choqué, eut un geste de protestation et refusa d'envisager le cas.

— J'ai été mal inspiré de vous parler de ma famille, dit-il. Je crois qu'il était plus simple et plus sûr de ne mettre en cause que moi-même. La vérité, la voilà : en face de Micheline, je me sens un être inférieur, mal venu. Que ce soit le fait de ma famille ou de qui vous voudrez, j'ai appris à voir et à sentir comme mes sœurs et je me suis assez bien décrit en essayant de vous faire leur portrait. L'idée que je pourrais être le mari ou l'amant de Micheline me choque comme une inconvenance. Je ne me reconnais pas le droit d'y penser. Il y a entre nous deux une différence de qualité qui correspond à peu près à la distance de nos conditions sociales. Je ne suis du reste nullement certain que ce soit un hasard.

— Vous exagérez, dit Chauvieux, mais il y a du vrai dans ce que vous dites. Il est certain que Micheline est mieux que vous. Je n'en veux pour preuve que votre façon dégoûtée de considérer votre propre personne. A ce propos, je me permets de vous donner un conseil. Il ne faut jamais se mépriser soi-même. C'est la pire des misères. On descend au-dessous de l'animal. Puis-je vous demander pourquoi vous ne travaillez pas ?

Bernard ne répondit pas à la question et ricana :

— Dans le cas particulier, il est heureux pour la famille Lasquin que je me méprise. Vous devez vous en féliciter.

— Pas du tout. S'il en était autrement, vous ne seriez pas ce que vous êtes et je ne verrais pas d'inconvénient grave à ce que Micheline divorce pour vous épouser.

Le ton de ces paroles, à lui seul, était injurieux. Bernard se redressa et demanda en regardant Chauvieux d'un air presque menaçant :

— Je ne serais pas ce que je suis ? Et qu'est-ce que je suis donc ?

— Mais vous venez de me l'expliquer en long et en large et je ne vous l'ai pas fait dire. Allons, ne vous fâchez pas, l'incident est clos. Mais quelle drôle de chose, tout de même, qu'un amoureux qui refuse l'amour pour assurer le repos de sa conscience. Ça me fait penser à certain général avec lequel je me suis trouvé à dîner rue Spontini. Ce général était pacifiste et trouvait que la guerre est une chose monstrueuse. A ce même dîner, il y avait un curé qui se faisait un devoir d'aimer les libres penseurs et de les défendre. Et je pense aussi à un directeur d'usine qui ménage l'amour-propre de son personnel en affirmant que les ouvriers ne sont pas des chiens. Étrange, n'est-ce pas ? Dieu préserve Micheline, la pauvre enfant, de tomber jamais dans vos bras. Je vous crois parfaitement capable de lui apprendre à cultiver le remords et le scrupule sous toutes ses formes. Ce serait vraiment dommage. Dites donc, si nous allions déjeuner ?

— Vous voudrez bien m'excuser auprès de Mme Lasquin, mais je n'irai pas déjeuner rue Spontini.

— Comme il vous plaira, mais je ne tiens pas particulièrement à faire votre commission. Vous pourriez téléphoner vous-même en invoquant la mort d'un parent de province, qui vous obligerait à quitter Paris brusquement pour quelques semaines.

XI

Sur la terrasse de la petite maison qu'il habitait au flanc ouest de Montmartre, Johnny humait l'air du matin en rêvant à sa vie écoulée et ressentait la tristesse de vieillir, qui étreint plus durement les êtres asservis par une passion toujours chaude. Près de lui, un arbre qu'il avait vu planter arrondissait à hauteur de la terrasse une frondaison encore odorante de l'averse de la nuit et mouillait alentour la lumière oblique du matin. Johnny se revoyait quinze ans plus tôt dans le même soleil matinal, devisant avec des compagnons agréables et tels que s'il les eût choisis avec beaucoup de prudence. Il avait alors quarante-cinq ans et gardait en sa maturité une jeunesse encore ferme tant du visage que du corps. Sa politesse et sa bonne grâce, qui faisaient rechercher sa société, étaient sans afféterie et fleurissaient naturellement. Pour forcer l'attention et l'intérêt des hommes désirables, il n'avait pas besoin de cet empressement exagéré, de cette prévenance courtisane, qui devaient l'amener à se faire remarquer par des attitudes efféminées. Autrefois, il était généreux avec désintéressement et les jeunes gens venaient à lui sans calcul, heureux de plaire. Aujourd'hui, ils ne venaient plus. La vie n'avait plus de tendres surprises.

Milou déboucha sur la terrasse en pantalon de pyjama et le torse nu. Le soleil n'était pas encore chaud et en s'appuyant à la balustrade, il frissonna, mais avec une sensation de plaisir, comme il arrive en entrant dans une eau fraîche. Johnny, avec mélancolie, admira ce jeune corps élégant et musclé.

— Cette nuit, chéri, tu es rentré tard, dit-il doucement.

— Ça va, gronda Milou. Si je rentre tard, c'est mes oignons.

Johnny soupira. La vulgarité du garçon le navrait.

— Pourquoi me répondre sur ce ton ? Je t'assure qu'avec un pareil langage, tu ferais vite oublier que tu es beau.

Milou sentit la menace et se radoucit.

— Il n'était pas tard, plaida-t-il. Un peu plus de minuit. Je n'ai rien fait de mal, je te jure.

— Je ne veux même pas le savoir. Pour l'instant, ce qui me tourmente, c'est que tu es en train de perdre ta forme. D'ailleurs, tu ne vas presque plus à l'entraînement. Je suis sûr que si tu ne te ressaisis pas, ta carrière de boxeur est finie.

Milou déclara qu'il avait assez de la boxe.

— Tu as grand tort, lui dit Johnny avec froideur. L'oisiveté ne te vaut rien du tout. Tu peux me croire, j'ai suffisamment l'expérience des jeunes hommes de ton milieu. Tu es un petit plébéien, porté sur la nourriture, la boisson et les moteurs d'auto. Si tu ne t'astreins pas à un travail, à une discipline, tu vas t'épaissir rapidement. Je te vois d'ici dans deux ans, rougeaud, courtaud, avec une dilatation d'estomac, des grosses fesses, double menton, une petite moustache de commis voyageur et des joues soufflées, salies de poil. Bref, un vrai homme à femmes. Et je te répète que ça viendra très vite. Tu as ce type latin qui tend, dès l'âge adulte, à se développer en largeur. Tu as surtout cette voracité, cette horrible boulimie du pauvre qui trouve tout d'un coup table mise. Ne l'oublie pas, Milou, tu es un petit pauvre et d'une espèce très ordinaire. Que demain, ta vulgarité ou ton empâtement me lasse de ta compagnie, tu redeviens le Mimile Lanoire que j'ai enlevé à l'usine il y a six semaines. Tes jolis costumes s'useront vite, tu sais. Réfléchis bien. Tu as la chance d'être un beau garçon, mais c'est une chance fragile. Ménage-la. Tu ne le croiras peut-être pas, mais dans ces dix derniers jours, tu as déjà un peu perdu ta ligne. Oh! ce n'est rien encore. Un léger épaississement à la naissance du cou, les muscles du torse peut-être moins déliés. Un avertissement tout de même. Et puis, fais un effort pour sortir de toi-même ou au moins acquérir le vernis qui fasse oublier le milieu d'où je t'ai tiré. Il y a des jours où je ne peux vraiment pas m'empêcher de te comparer à d'autres garçons que j'ai connus, des garçons fins, sensibles, d'un cœur et d'un esprit charmants. Tu n'imagines pas à quel point tu as besoin de te décrasser.

Surpris par cette sortie imprévisible, Milou baissait les yeux pour dissimuler à son maître sa haine et sa peur. Jusqu'alors, Johnny s'était ingénié à lui rendre la servitude agréable et à le traiter en égal. Ses tendres prévenances, ses compliments extasiés et ses cris d'oiseau n'avaient pas préparé Milou à entendre un discours aussi rude. A vrai dire, Johnny s'étonnait lui-même.

— Discutons pas. Ce matin, tu es de mauvaise humeur, lui dit le jeune homme.

— Je suis dans un jour où je ne me force pas. C'est une chose qui m'arrivera souvent, j'espère.

— Quand tu m'as demandé de venir habiter chez toi, ce n'était pas spécialement pour m'encourager à faire de la boxe, fit observer Milou. Je te dirai que la boxe, ça ne m'a jamais bien emballé non plus. Encaisser des coups de poing, ce n'est pas un amusement pour moi.

— Alors, qu'est-ce que tu comptes faire?

Cette question, qui ressemblait à une mise en demeure, révolta Milou comme une hypocrisie et une muflerie, car il était décidé à ne rien faire. Voyant qu'il ne répondait pas, Johnny lui dit :

— J'avais pensé pour toi à une carrière dans les Lettres, mais évidemment, même ça demande un certain travail.

— Les Lettres? demanda Milou méfiant.

— Écrivain. Tu écrirais des livres. Je suis sûr que tu réussirais très bien. Tu es photogénique et fils de croque-mort, il n'en faut guère plus. Le reste viendrait tout seul. Naturellement, tu ferais dans la misère du peuple, l'injustice sociale, la poésie des masses, la noblesse de leurs instincts. Je t'aiderais un peu pour les commencements. J'ai pensé que tu pourrais débuter par des souvenirs d'enfance. Tu écrirais simplement, comme tu as appris. Je vois très bien des petites phrases courtes, dans le genre de celles-ci : « Mon père était croque-mort. Ma mère faisait des ménages. Nous étions sept frères et sœurs. Le soir, à table, le père racontait sa journée. Tantôt, disait-il, j'ai enterré un sacré lapin. Ce cochon-là faisait au moins cent quatre-vingts livres. On riait. Il était content. Je l'admirais. Il était le maître de la vie et de la mort. » Les connaisseurs s'extasieraient sur la concision magique de ton style : dureté et éclat du diamant. Les journaux de gauche diraient : Un grand écrivain et un prolétaire authentique. Et même dans les journaux de droite, quand on saurait que tu es mon ami, on se montrerait bienveillant. Pour ton premier ouvrage, on pourrait demander une préface à un écrivain en vue. Je verrais assez Luc Pontdebois. Il serait certainement ravi de patronner un fils de croque-mort. A ce propos, je pense que fils de fossoyeur serait peut-être plus poétique ?

Milou ne semblait pas très enthousiasmé par le métier d'écrivain, qui évoquait pour lui un travail de bureau. Il s'enquit d'une voix molle :

— On gagne de l'argent à ce truc-là ?

— A la vérité, on ne peut guère espérer s'y enrichir, mais enfin, il y a des gens qui réussissent à en vivre. Évidemment, c'est un métier qui rapporte moins que celui de boxeur, mais qui offre certains agréments. Il y a, en premier lieu, les joies de la création.

— Je me suis laissé dire qu'il y a des poètes qui crèvent de faim. Ça ne me fait guère envie. C'est comme ces histoires de croque-mort, c'est peut-être poétique, mais moi, j'en ai soupé et j'aimerais autant n'y plus penser. Et puis, ça me revient maintenant, des écrivains, j'ai eu l'occasion d'en voir trois chez Ancelot. J'ai trouvé qu'ils avaient des drôles de gueules. Ce n'est pas un genre de collègues qui me plairait bien.

— Il y a aussi le journalisme, dit Johnny, mais c'est déjà un peu plus difficile. En général, on exige des rédacteurs qu'ils aient de l'orthographe.

— Tout ça, ce n'est pas ce que j'appelle du travail, déclara Milou en s'étirant dans le soleil. Si vraiment tu es d'avis que je prenne un métier, je me verrais plutôt chercher dans le cinéma.

— C'est un milieu que je n'aime pas beaucoup, objecta Johnny.

— Ça ne fait rien, puisque c'est pour moi. Oui, le cinéma, ça m'a l'air d'un bon petit boulot gentil. L'autre jour, j'étais dans un studio de prises de vues avec les petites Ancelot. Le metteur en scène était en bras de chemise avec une visière sur les yeux. La visière, c'est un détail, tu me diras, mais on n'imagine pas comme ça faisait coquet. Il n'avait pas l'air de se tuer à l'ouvrage, tu sais. Et ce qu'il faisait, je crois que je m'en tirerais.

Craignant qu'il ne trouvât au cinéma des moyens d'existence qui lui permettraient de reprendre sa liberté, Johnny regrettait de s'être laissé aller à un mouvement de mauvaise humeur et d'avoir soulevé ce problème de carrière. Il se mit à dénigrer la profession de cinéaste, vit qu'il n'arrivait à rien et changea de conversation.

— Tu déjeunes chez Mme Ancelot?

— Oui, j'ai promis avant-hier. Justement, je suis un peu ennuyé. Cet après-midi, il va falloir que je les sorte. Quatre femmes, tu te rends compte, et je ne peux pas faire autrement. Il y a aussi les fleurs. Je ne peux pas m'amener les mains vides. Tout ça finit par chiffrer.

En réalité, lorsqu'il sortait avec les dames Ancelot, Milou ne payait jamais que pour lui seul et, très souvent, laissait à la mère ou même aux jeunes filles le soin de régler ses dépenses. Depuis six semaines qu'il vivait chez Johnny, il avait économisé, sur son argent de poche et ses achats, plus de deux mille francs et en avait placé quinze cents à la caisse d'épargne. A cette nouvelle demande d'argent, Johnny s'exécuta sans objection. Il était naturellement généreux et détestait les marchandages. D'autre part, l'assiduité de Milou chez les Ancelot lui plaisait. Il ne doutait guère que son protégé eût entrepris quelqu'une des trois sœurs, mais il faisait la part du feu. Pour le principal, il pensait n'avoir rien à craindre de Bernard, ni de M. Ancelot.

Le déjeuner fut presque ennuyeux et Milou s'y sentit mal à l'aise. Bernard, qui prenait maintenant tous ses repas à la maison, lui témoigna de la froideur et laissa même paraître à plusieurs reprises une vive antipathie. Mariette se montrait d'une amabilité visiblement affectée qui avait quelque chose d'inquiétant. L'atmosphère se refroidit encore à l'arrivée de M. Ancelot que l'on n'attendait pas. A l'instant d'aller déjeuner aux environs de la Bourse, il s'était senti las du restaurant et, sans se l'avouer, avait eu envie de voir ses enfants. La présence d'un étranger à la table familiale l'assombrit et le rendit agressif.

— Qui c'est? demanda-t-il à la bonne qui mettait son couvert.

— C'est M. Milou.

— Il a une tête qui ne me plaît pas. Qu'est-ce que vous faites, dans la vie, jeune homme?

— Je suis boxeur.

M. Ancelot s'assit devant son couvert, déplia sa serviette et dit en regardant son fils :

— Ça vaut mieux que de ne rien faire.

Il tira un journal de sa poche et se mit à manger en lisant les nouvelles, comme il faisait au restaurant, sans se soucier des voisins. Une seule fois, il parut s'aviser qu'il n'était pas seul et ce fut pour demander à Milou d'une voix rogue :

— Alors, c'est vous le greluchon de M. Johnny?

Milou devint très rouge et resta interdit, tandis que Mme Ancelot traitait son mari de goujat. Bernard eut un sourire ostensible, mais qui ne déclencha rien, à son vif regret. L'incident n'eut pas d'autre conséquence que de ralentir encore la conversation. M. Ancelot s'était remis à son journal. A la fin du repas, il n'attendit pas le dessert et quitta la salle à manger sans un mot. Dans le taxi qui l'emporta vers la Bourse, il prit son stylo et le bloc de papier qui ne quittait jamais la poche de son veston et écrivit une lettre à un client. De sa propre main, il n'en écrivait pas moins d'une cinquantaine par jour et dans chacune d'elles, il arrivait à trouver quelques mots touchant personnellement le destinataire. Disséminés en province, il avait environ un millier de clients, le chiffre ne variant guère d'une année à l'autre malgré les efforts de prospection, quoique les possibilités fussent théoriquement beaucoup plus vastes. Le problème était de faire suer à chacun des clients, au moyen d'une correspondance assidue, deux ou trois cents francs par an. La secrétaire tapait à la machine une partie importante de la correspondance, et les circulaires intéressant par exemple les porteurs d'une même valeur étaient imprimées à la ronéo, mais rien ne remplaçait la lettre manuscrite qui semblait s'intéresser à un cas particulier. Il était à peu près assuré qu'une telle lettre aurait une réponse. L'écriture avait comme un pouvoir de sympathie qui arrachait des confidences au client et le rendait vulnérable. Aussi M. Ancelot écrivait-il inlassablement, qu'il fût au bureau, à la maison, au café, dans le train ou dans un taxi. Il écrivait en dictant une circulaire à la dactylo et en recevant un client. La nuit, lorsqu'il ne pouvait trouver le sommeil, il lui arrivait de se relever pour rédiger une demi-douzaine de lettres. Il aurait voulu pouvoir écrire des deux mains à la fois. Chaque message imprimé ou dactylographié lui était un remords et, le moment venu de poster une centaine de circulaires, il en retenait toujours deux ou trois pour les recopier et les envoyer manuscrites.

Les bureaux de l'agence, rue Vivienne, occupaient la moitié d'un appartement de quatre pièces, l'autre moitié abritant un office de placement dont l'activité consistait à soutirer de l'argent à des employés de bureau en chômage. Le couloir était séparé en deux, dans le sens de la longueur, par une cloison en planches de simple bois blanc, montant jusqu'au plafond. M. Ancelot travaillait dans la plus petite des deux pièces qui offrait, avec son lavabo d'une couleur pisseuse, aux robinets mangés par la rouille, l'aspect miteux d'une chambre meublée, malgré les classeurs et les rayonnages chargés de dossiers. Mlle Logre, la secrétaire, occupait un ancien placard à linge sale, sans fenêtre, où l'électricité brûlait du matin au soir et n'ayant guère plus de largeur que sa machine à écrire. L'autre pièce, la plus grande, était meublée avec une heureuse recherche d'élégance, qui faisait bien augurer des destins de l'entreprise. On y accueillait les clients qui, en passant à Paris, venaient prendre l'air de l'agence. Avant d'introduire le visiteur, Mlle Logre, avec un sourire d'excuse, disait en montrant la cloison de bois blanc aux planches mal jointes : « Nous sommes en plein dans les réparations », ce qui laissait supposer que de grandioses transformations étaient en œuvre derrière une cloison provisoire. M. Ancelot, qui était censé être en conférence, faisait attendre le client trois bons quarts d'heure au bout desquels il venait l'entretenir sur place. « Je n'ai pas voulu vous laisser attendre davantage, disait-il aimablement, et comme je tenais à vous voir moi-même, j'ai suspendu la conférence pour un moment. » Il se dépensait avec une gravité affable, à peine distante, et savait examiner les espoirs et les inquiétudes d'un petit épicier de campagne ou d'une vieille demoiselle retraitée comme s'il se fût agi d'étayer l'économie d'un continent. Le client s'en allait toujours flatté, content, avec le sentiment durable d'avoir à sa disposition un conseiller loyal, éclairé et constamment occupé par le souci fraternel d'améliorer son portefeuille.

Mlle Logre, qui déjeunait sur place d'un repas froid, était déjà au travail lorsque M. Ancelot arriva. Il jeta un bonjour distrait en passant devant son cagibi et entra aussitôt dans son bureau où il écrivit d'abord trois lettres d'affilée, pour se mettre en train. Avant de commencer la quatrième, il décrocha l'appareil téléphonique et dit : « Logre, demandez-moi Daguesson. Quand j'en aurai fini avec lui, vous viendrez. » Il venait d'entamer sa quatrième lettre lorsque la secrétaire lui donna la communication. Sans cesser tout à fait d'écrire, il reprit l'appareil. « Daguesson ? ici Ancelot. J'ai appris ce matin que vous étiez en train de fouiner dans ma clientèle. Inutile de nier, j'ai en main une de vos lettres, signée. J'entends que ça cesse immédiatement. Fermez ça, je ne veux pas de vos explications. Si je vous retrouve dans mes plates-bandes, j'irai vous dire un mot dans votre étable et je vous attraperai par la peau du cul, comme déjà l'année dernière. Mais cette fois, ce sera plus cher. Ensuite, je vous signale que je possède en entier la liste de ceux de vos clients qui détiennent des Carrières d'Orval. A bon entendeur. »

La conversation terminée, Mlle Logre entra dans le bureau et vint s'asseoir en face de M. Ancelot pour prendre sa dictée. Elle était à peu près du même âge que lui, mais dans le format étiré, avec un maigre visage pointu et une frange bouffante de cheveux gris qui lui descendait aux sourcils. Logre était une créature angélique, toujours prête à payer de sa personne et de ses deniers et à voler au secours des affligés, mais elle s'intéressait avec tant de passion à l'activité de l'agence qu'elle s'employait d'une ardeur incomparable à écorcher le client et qu'elle se fût innocemment réjouie de le réduire au désespoir. Dans cette petite pièce au plafond bas, qui prenait jour au midi, la chaleur était étouffante. M. Ancelot ôta son veston et dit en débraillant son faux col :

— Si vous voulez bien, Logre, nous allons secouer un peu le cocotier des *Minières de Chandernagor*. Tout à l'heure, en déjeunant, j'ai pensé qu'il y avait quelque chose à faire.

— Je crois bien! approuva Mlle Logre avec un sourire gourmand.

— Allons-y. « Monsieur. Depuis que notre agence fonctionne à la satisfaction de ses abonnés, nos services spéciaux ont toujours eu à cœur le sort des épargnants possesseurs de valeurs dépréciées et se sont efforcés, avec tout le succès possible, d'y porter remède. Notre devoir nous commande aujourd'hui d'attirer votre attention sur un ensemble de faits qui vous touchent directement. Il est en effet un problème auquel les événements en cours, politiques et économiques, ont rendu une actualité brûlante. C'est celui du bimétallisme. Dans tous les pays d'Europe et d'Amérique, les milieux compétents reviennent à cette évidente vérité qu'une monnaie saine ne saurait s'appuyer longtemps, sans courir de graves périls, sur le seul métal or. Aussi voit-on se dessiner, de plus en plus net, un mouvement sur toutes les entreprises minières qui, malgré la crise et grâce à des conseils d'administration prévoyants, sont restées en état de faire face aux demandes de métal argent. C'est ici qu'il convient de vous signaler la situation éminemment favorable d'une société dont nous avons suivi les efforts prudents et courageux : *les Minières de Chandernagor*. L'historique de cette société... »

M. Ancelot dictait lentement, avec des silences, des reprises, et Mlle Logre collaborait à cette mise au point avec l'ardeur de la foi, lui arrivant même d'interrompre la dictée pour faire observer, par exemple, en se servant d'une expression familière au patron : « Je crois qu'ici, il faudrait trouver une formule plus caressante. » Parfois, en cherchant une tournure heureuse, elle avait une idée qui transformait la manœuvre prévue ou en amorçait une autre. Lorsque la rédaction de la circulaire fut au point, M. Ancelot dit à sa secrétaire :

— Quand vous l'aurez tapée, portez vite une copie à la ronéo et dites à Mutin qu'il me faut le paquet pour ce soir. Dites-lui aussi qu'il fasse attention à ne pas laisser traîner nos circulaires sous les yeux de n'importe qui. Je suis sûr que les Daguesson et compagnie n'en ratent pas une.

Comme Mlle Logre se levait, il ajouta :

— Si vous voyez chez lui un papier qui puisse nous renseigner sur l'activité des concurrents, ne vous gênez pas. Il faut savoir se défendre.

— Vous n'avez pas besoin de me le dire, fit Logre avec un joli rire clair, le rire d'une sainte fille qui tend un traquenard au démon.

M. Ancelot se remit à écrire ses letres. Cet après-midi-là, nul client ne vint lui rendre visite. Depuis le début des occupations d'usines, les gens de province ne se risquaient guère à venir à Paris qui menaçait de s'écrouler dans le sang et la dynamite. Au fond de leurs cœurs, les épiciers de campagne et les pêcheurs à la ligne se désolidarisaient de cette capitale des catastrophes et priaient Dieu pour que le cours de la rente ne dépendît plus que de l'humeur du terroir, de la courbe de la rivière et du ciel villageois. Cette disposition des cœurs n'était pas sans porter préjudice à l'agence et M. Ancelot sentait qu'il fallait, selon les cas, apaiser les appréhensions ou au contraire les stimuler pour en mieux profiter. Aussi les lettres manuscrites s'amoncelaient-elles sur la table. Depuis une huitaine, il restait le soir à son bureau et écrivait jusqu'à plus de minuit, tant qu'à la fin, sa main refusait d'aller. Il s'était même essayé, sa montre sous les yeux, à améliorer son rendement à l'heure et y avait renoncé en croyant observer que le souci de la performance gâtait la qualité.

Il était sept heures et demie et Logre, qui fût volontiers restée jusqu'à minuit, n'était pas encore partie lorsque Bernard entra à l'agence. Il y venait bien rarement, une ou deux fois par an, et les entretiens qu'il avait alors avec son père étaient toujours orageux. Logre, qui savait comment tournaient ces entrevues, se hâta de mettre son chapeau et fila, un peu inquiète pour ce grand jeune homme triste qui allait au supplice avec un air doux.

M. Ancelot, qui en était à sa trente ou quarantième lettre, jeta un coup d'œil par-dessus ses lunettes et, reconnaissant son fils, demanda sans interrompre la lettre en cours :

— Qu'est-ce que tu viens foutre ?

Bernard, l'air absent, tripotait un tampon buvard et regardait vaguement l'ample et rubiconde calvitie du père, les larges épaules arrondies auxquelles collait la chemise mouillée par la sueur.

— Pas un rond, pas un centime, pas un iota, gronda M. Ancelot tout en écrivant. Et d'abord, je vais supprimer l'argent de poche, à tous.

Sa colère naissait de ses propres paroles. Il traça au bas de sa lettre un furieux parafe et, avant de passer à la suivante, jeta encore un regard par-dessus ses lunettes.

— Alors, quoi ? qu'est-ce que tu veux ?

— Rien, dit Bernard. Je suis venu.

Il avait répondu avec précipitation et s'était arrêté court, comme si une timidité l'eût empêché. M. Ancelot ricana :

— Ah ! tu es venu ? Est-ce que, par hasard, les cafés seraient fermés ? est-ce que les bordels seraient en grève ? Ne te tourmente pas, ça s'arrangera.

Déjà, il avait commencé une autre lettre et semblait ignorer la présence de son fils. Bernard restait debout, les bras ballants, et regardait courir le stylo.

— Je m'en vais, dit-il.

Pas de réponse. La plume continuait à grincer sur le papier. Il tourna les talons et répéta, dans un murmure dolent, accablé, qui semblait à la fois d'un enfant et d'un moribond : « Je m'en vais. » A l'accent misérable de cette petite voix, M. Ancelot sentit un mouvement de toute sa tripe paternelle. Il se dressa comme un diable, renversa un dossier ouvert sur la table et courut à la porte où il joignit son fils. L'ayant saisi au revers du veston, il le plaqua contre lui et, un peu honteux d'une sollicitude qui était si loin de ses habitudes, demanda d'une voix basse, encore rude : « Qu'est-ce que tu as ? » Bernard laissa aller sa tête sur son épaule et se mit à pleurer sans bruit. Le père fut quelques secondes avant de comprendre et, voyant les larmes, poussa un rugissement de tendresse effrayée qui eût glacé Mlle Logre si elle était restée dans son placard. Il souleva son fils dans ses bras, l'emporta comme une proie et après l'avoir mis sur ses genoux, se mit à lui baiser la tête avec voracité en l'appelant sa rose blanche, son agneau, son oiseau des îles. Transfiguré, le cœur inondé, la joie le faisait délirer et sa voix tremblait d'amour. Bernard, bercé comme un jeune enfant, sentait s'engourdir sa peine et se détendait à la chaleur de cette tendresse impétueuse. Après ces premiers transports, M. Ancelot s'enquit d'une voix fondante :

— Allons, dis-moi ce qui s'est passé. Tu as fait une bêtise, hein ? Et il faut de l'argent ? Ne crains rien, mon petit, je suis là.

— Non, dit Bernard, il ne s'agit pas d'argent. Ce serait trop simple.

— Une femme, n'est-ce pas ? J'aurais dû y penser. Cette femme ne t'aime pas ou plutôt, tu crois qu'elle ne t'aime pas. Comment ! elle t'aime ? mais alors ? Je vois. Cette femme a un mari, une situation, des scrupules. Eh bien, sais-tu ce que nous allons faire ? nous allons l'enlever, tout simplement. J'adore les enlèvements, moi. Tu ignores peut-être que pour épouser ta mère, il m'a fallu l'enlever. Aujourd'hui, la chose paraît incroyable et c'est pourtant la vérité pure. Son père la destinait à un jeune huissier et entre nous, c'était bien là sa vraie voie. Évidemment, ta mère n'était pas ce bâton épineux qu'elle est devenue plus tard. Elle avait une belle paire de nichons et une bien jolie frimousse, ma foi. Ah ! bon Dieu, est-ce possible ? Mais quoi, que sert de comparer et de regarder en arrière. Ce n'est pas l'heure de faire de la mélancolie. Ne perdons pas de temps.

M. Ancelot donna un coup de règle sur la table et cria, par jeu :

— Logre, sellez mon cheval et préparez mes pistolets d'arçon !

Content de la vie, il partit d'un grand rire qui lui secoua la bedaine.

— Je ris, mais je parle sérieusement. Il n'y a pas à tergiverser. Allons, parle-moi de la bergère.

— Il ne peut pas être question d'enlèvement. Elle est prête à demander le divorce pour m'épouser.

M. Ancelot, surpris, haussa les sourcils et attendit le mot de cette énigme. Bernard, qui s'était assis sur la table, parla longuement de sa bergère, de ses perfections, de sa pureté et, assez brièvement, afin de ne pas engager aux yeux du père la responsabilité de ses sœurs, expliqua pourquoi il était indigne de la jeune femme.

— Comme tu vois, conclut-il, la situation est sans remède puisque c'est moi qui me dérobe.

M. Ancelot n'en croyait pas ses oreilles et regardait son fils avec stupéfaction. Il s'écria, indigné :

— Qui est-ce qui m'a foutu un âne pareil ? Ah ! non, c'est trop fort. Tu es amoureux, on t'aime et à une jolie fille qui est prête à tout pour te suivre, tu n'as que des scrupules à offrir ? Je vais aller la trouver, cette Micheline, même si c'est inutile. Je ne veux pas qu'elle se figure que tu as été engendré par un sacristain. Et d'abord, tu vas me faire le plaisir de coucher avec elle. Si tu ne t'es pas exécuté dans les huit jours, je te mets à l'huile de foie de morue et à l'hémoglobine.

Mais ni l'enjouement, ni la colère, ni les raisons démonstratives ne firent changer Bernard de sentiment. Sa conscience restait ferme comme une borne et, devant ce grand garçon languide et résigné, M. Ancelot, à bout d'arguments, songeait avec douleur : « Mon fils est un abruti, sept fois plus stupide que je ne pensais. »

XII

Pierre Lenoir était installé, seul, dans un minuscule bureau attenant à celui du directeur du personnel qui avait mission de l'initier à l'essentiel de son service. Au milieu des rapports et des dossiers qui chargeaient la table, Pierre bâillait sur une feuille de papier blanc. De loin, il feuilleta un dossier, jeta un coup d'œil sur un tableau synoptique du mouvement de la main-d'œuvre en 1935 et reposa son regard las sur la feuille blanche. Distraitement, il commença d'y tracer un cercle au crayon et ne tarda pas à s'intéresser à son entreprise. Le cercle venait assez bien et il eut lieu d'en être satisfait. Une fois achevé, il y inscrivit un carré et dans ce carré un deuxième cercle, ainsi de suite, les cercles alternant avec les carrés. Au quatrième cercle, qui était d'un diamètre réduit et d'un dessin peu sûr, il se trouva embarrassé par la difficulté d'inscrire un quatrième carré. Il s'en tira en inscrivant un triangle, ce qui l'amena tout naturellement à dessiner un œil au milieu. L'œil lui inspira d'ajouter une paire d'oreilles au plus grand cercle, puis de le surmonter d'un chapeau haut de forme. Enfin, il fit reposer le monstre sur deux pieds chaussés de souliers de coureur, munis de pointes fichées dans la semelle comme une barbe drue. Il eut alors le sentiment d'avoir réalisé une création parfaite à laquelle il ne pouvait rien ajouter sans en détruire l'harmonie. Pourtant, il considéra son chef-d'œuvre sans joie. Son cœur se serrait en pensant qu'il vivait ses derniers jours d'ennui paisible. Son frère Louis, appelé à la direction de l'usine, était entré en fonctions depuis une semaine, la veille de la grève. Aussi bénigne que possible, la grève avait duré trois jours, avec occupation de principe. Le travail avait repris de façon presque normale, tandis que les accords de détail continuaient à se négocier. Pierre savait qu'avant peu il aurait sa place au bureau même de son frère et qu'il lui faudrait besogner neuf et dix heures par jour dans l'ombre de ce bourreau de travail, tyran peut-être plus redoutable, plus méthodique, que n'était M. Lenoir le père. Être si riche, si bien doué pour la course de fond et traîner misérablement sa vie dans des besognes tristes et dégradantes au lieu de s'entraîner régulièrement et d'améliorer chaque jour sa foulée. Pierre Lenoir, déprimé, dessina une longue pipe dont le tuyau venait s'ajuster à la pointe du triangle. C'était d'un effet extrêmement vulgaire. A ce moment, le directeur de service entrouvrit la porte et dit en passant la tête :

— Ça va, monsieur Lenoir ?

— Oui, ça va, je vous remercie, répondit Pierre d'une voix traînante.

— Si vous avez besoin d'un renseignement ou si quelque chose vous arrête, n'hésitez pas à me mettre à contribution.

— Vous êtes tout à fait aimable, mais je ne vous dérangerai pas. Tout ça est si clair...

— Oui, je crois que la présentation est assez satisfaisante. Si vous voulez bien, tout à l'heure, nous verrons ensemble quelques questions plus spéciales.

— Oui, oui, mais pas ce matin. J'ai encore tellement de choses à voir là-dedans. Cet après-midi... ce soir...

— Quand vous voudrez, monsieur Lenoir, quand vous voudrez.

La porte refermée, Pierre, malgré lui, reprit le fil de sa triste rêverie. Il se vit assis en face de son frère, à la même table, et épiant le visage sévère, la bouche dure d'où tombait à chaque instant un ordre inhumain, quelque commandement d'avoir à dresser un état ou à rédiger un rapport. Chargé d'ennui et de prière, son regard se tourna vers la fenêtre. Par-dessus les toits de l'usine et partagé en deux par la grande cheminée, le ciel était d'un bleu léger. L'air lui parut fin et frais dans sa pureté matinale. Il se sentit tout d'un coup un huit cents mètres dans les jambes et son pied tâta le parquet, comme il eût fait sur la piste avant de prendre le départ de la course. Il se pencha sous la table, releva une jambe de son pantalon et songea en pinçant les muscles de son mollet : « Un mois et je suis sûr que je tiendrais la forme. » Comparant sa jambe à celle du grand Ladoumègue, dont le dessin était toujours présent à sa mémoire, il l'examina de plus près et eut un coup au cœur. Dans la vallée du jarret, il croyait déceler un léger empâtement, la promesse d'un cordon graisseux. Le visage assombri, il se releva et laissa errer sur les dossiers un regard de rancune. Tandis qu'il considérait les tristes perspectives de son destin, la colère ravageuse des faibles vint battre dans sa tête. D'un cœur véhément, il appela la révolution qui balaierait les patrons et les ambitions paternelles, une révolution à laquelle il dédierait des records retentissants et il se mit à chanter d'une voix rageuse, encore contenue :

Madam' Veto avait promis
De faire égorger tout Paris...

Sa belle tête fraîche, rose et brune, bien peignée, bien nourrie, avec le filet de moustache Hollywood et le menton gonflé sur le blanc faux col pour chercher les notes basses, avait une expression de fureur angélique. Le rythme brutal et haché l'excitait. Au refrain, il ne put se tenir de hausser la voix.

Dansons la Carmagnole
Vive le son...

Le chant envolé, il devint tout pâle en pensant que le directeur du personnel avait pu entendre quelque chose. Pour donner le change, il sauta sur le téléphone et, d'une voix bruyante, demanda au standard le numéro de Mme Lasquin.

— C'est vous, maman?... ici, Pierre. Je vous téléphone... comme ça...

— Justement, je pensais vous appeler. Je suis un peu ennuyée. Je ne sais pas ce qu'a Micheline, mais elle paraît nerveuse, fatiguée, préoccupée. Je crois qu'elle a pleuré.

— C'est ennuyeux. Un peu de fatigue, probablement. Pauvre Micheline. Est-ce que vous avez lu l'article de Joë Dupont sur le cross d'hier? Je vous le recommande. Entre autres choses, le dégonflage de l'équipe de l'Ouest y est expliqué de façon magistrale. Cet article-là, tous les coureurs de cross devraient le méditer.

— Je le lirai, promit Mme Lasquin. Mais pour Micheline, je suis presque inquiète, vous savez, Pierre. Tout à l'heure, si vous pouviez rentrer un peu plus tôt...

— Mais bien sûr, je pars... je pars tout de suite! dites à Micheline que j'arrive. Je vous apporte l'article.

Oubliant le cyclope en gibus qu'il avait dessiné tout à l'heure et qui restait en évidence sur la table, il courut au bureau du directeur et informa d'une voix qui frémissait d'aise :

— Je suis obligé de partir. On vient de me téléphoner que ma femme est malade.

— Rien de grave, j'espère? demanda le directeur.

— On ne sait pas encore.

Rue Spontini, Pierre trouva Mme Lasquin plus inquiète qu'elle ne l'avait laissé deviner au téléphone. Il se composa un visage de circonstance.

— Vous êtes gentil d'être venu aussi vite. Je suis vraiment désemparée. Elle est là-haut, elle n'a pas quitté sa chambre. Elle ne veut rien me dire et tout à l'heure, elle m'a presque mise à la porte.

Mme Lasquin versa une larme puis, regardant son gendre d'un air soupçonneux, s'enquit timidement :

— Pierre, que s'est-il passé ? Oh ! je sais bien que vous n'êtes pas comme les autres hommes, Pierre. Mais comprenez, je vois Micheline si malheureuse, bouleversée tout d'un coup et entêtée à ne rien dire, que je ne peux pas m'empêcher de penser... de me forger des imaginations... Parce qu'enfin, vous partagez son lit. Oh ! je ne veux pas dire par là... Non, c'est une idée, une simple idée. A ce propos, tenez, je me demande s'il ne vaudrait pas mieux pour vous de faire chambre à part. Vous auriez tous les deux un sommeil plus sûr. C'est une chose qui se fait beaucoup, vous savez.

La voix de Mme Lasquin se faisait insidieuse. Pierre ne comprenait pas le sens de ses questions enveloppées et réticentes. Il en éprouvait une vague inquiétude et hésitait à se connaître coupable. La longue expérience de sa belle-mère, touchant les choses de la vie conjugale, l'intimidait. En tout cas, l'idée de faire chambre à part ne lui déplaisait pas, car il s'habituait mal à dormir à côté de Micheline. Il y avait dans un corps de femme, fût-ce le plus beau, un aspect de moulé et d'arrondi qui lui inspirait d'abord de la défiance. La poitrine, dans les cas les plus favorables, lui semblait être la rupture d'une symphonie musculaire. La nuit, quand par inadvertance il heurtait le corps de Micheline, il en éprouvait toujours un léger malaise, comme si sa propre chair eût été en péril de se corrompre.

— Je vous installerais dans la chambre à côté, insistait Mme Lasquin. Vous seriez très bien.

— Oui, peut-être. En tout cas, rien ne presse. Micheline décidera elle-même. Vous dites qu'elle est dans sa chambre ? Je vais essayer de la faire parler.

Vêtue d'un peignoir de bain, Micheline, les yeux secs, le regard immobile, était assise sur le lit défait. Elle reconnut le pas de son mari et, tournant un visage hostile, demanda :

— Il est déjà midi ?

— Non, pas encore. Ce matin, je suis sorti plus tôt.

Un peu gêné par la fraîcheur de l'accueil, il s'était arrêté au milieu de la pièce, hésitant s'il resterait. Du regard, il fit le tour de la chambre, examina sans hâte les tentures, les meubles en bois de citronnier, les fourrures où plongeaient les pieds de Micheline, la toile marouflée au-dessus du lit, qui représentait un parterre de jonquilles, le portrait de Ladoumègue qui lui faisait face sur l'autre mur et, songeant au bureau de l'usine où il aurait dû se morfondre jusqu'à midi si l'humeur de sa femme ne lui avait fourni un prétexte, il se plaisait à ce luxe tendre et confortable. A son tour, il interrogea avec un accent de sollicitude :

— Tu parais triste. Est-ce que tu as un ennui ?

Micheline eut un mouvement des épaules comme pour secouer sa présence et répondit d'une voix lasse :

— Non, je n'ai rien. Mais laisse-moi. Laisse-moi.

Il s'assit à côté d'elle et prononça son nom plusieurs fois sur un ton de reproche affectueux. Elle restait muette et contractée. La conscience paisible, il se disposait à quitter la chambre, mais une certaine paresse et une impression de bien-être le retinrent de se lever. D'abord distraitement, il se prit à regarder sa femme qu'il dominait d'une demi-tête. Enveloppée dans son peignoir de bain qui s'entrouvrait au bas pour laisser passer une jambe, elle n'avait pas cet aspect qui faisait valoir d'ordinaire ses formes féminines. Sa peau, rouge encore de l'eau froide et du gant de crin, ses cheveux blonds, tirés sous le serre-tête, son visage clair, boudeur et têtu, lui donnaient l'air d'un jeune garçon. Pierre avait un peu le sang aux joues et sentait en lui la fièvre d'un désir qu'il blâmait en sa conscience de sportif. L'exaltation croissant, il rejeta tous ses scrupules en songeant qu'il était aussi bien perdu pour la course à pied et pouvait s'abandonner sans inconvénient. D'un geste brusque, il ouvrit le peignoir de bain et enlaça Micheline. Elle se débattit avec colère et, comme il était le plus fort, elle le serra sur elle et lui prit les lèvres avec emportement. Au plus fort de l'étreinte, la porte du couloir s'ouvrit et se referma aussitôt, non sans avoir laissé passer un cri de Mme Lasquin.

Chauvieux, ayant entendu dire au bureau que sa nièce était souffrante, arriva vers midi et fut introduit auprès de sa sœur qui était assise dans le jardin. Elle appuyait un mouchoir sur sa bouche et, les larmes ruisselant, sanglotait de toute sa poitrine. Aux questions de son frère, elle ne put répondre que par des mots entrecoupés laissant à entendre que Micheline était morte ou au moins à l'agonie.

— Allons, dit-il exaspéré, ôte ce mouchoir de devant ta bouche et dis-moi ce qui est arrivé à Micheline. De quoi est-elle malade ?

— Micheline n'est pas malade. Mais tout à l'heure, Pierre... non, c'est ignoble. Je ne peux pas le dire.

— Voyons, est-ce que par hasard, Pierre aurait une maîtresse ?

— Non, pas encore, mais il en prend le chemin ! s'écria Mme Lasquin.

Donnant libre cours à son indignation, elle informa son frère de ce qui venait de se passer dans la chambre des jeunes époux.

— Lui en qui j'avais mis toute ma confiance. Ah ! comme il m'a trompée. Je le croyais si différent des autres hommes. Il me semblait si pur. Et me faire cette chose ignoble !

— Tu l'accuses peut-être trop vite, fit observer Chauvieux doucement. Il est possible que ce soit Micheline qui ait pris l'initiative de cette récréation. Tu parais surprise, ma pauvre Anna. Que veux-tu, tout est changé. De notre temps, les jeunes femmes cédaient à leurs maris avec le sentiment d'accomplir un devoir difficile. Aujourd'hui, elles y prennent plaisir. Le fait est évidemment curieux, mais nous n'y pouvons rien. Il faut prendre les choses comme elles sont.

Sachant avec quelle aisance il savait escamoter les situations dramatiques, Mme Lasquin leva sur son frère un œil méfiant.

— En tout cas, il n'avait pas l'air d'un garçon qui cherche à se rendre agréable, je t'assure.

— Tu sais, il n'est pas si facile de s'en rendre compte.

— Il était rouge. Et il avait des yeux. Des yeux.

L'entretien en était là lorsque Micheline entra au jardin, les joues fraîches, le regard vif. Gaiement, elle embrassa son oncle et, voyant le visage bouleversé de sa mère, ses yeux rouges, s'inquiéta. Mme Lasquin, trop émue pour répondre, s'éloigna en contenant ses sanglots et laissa à son frère le soin d'une explication. Pierre était resté au premier étage, dans la chambre conjugale. Il ne pouvait se résoudre à descendre et retardait de minute en minute le moment d'affronter le regard de sa belle-mère. Non seulement le souvenir de la porte entrouverte lui causait une honte cuisante, mais il était pénétré du sentiment de sa culpabilité. Le fait de s'être laissé tenter entre onze heures et midi, presque au milieu du jour, lui semblait dégradant. Il se jugeait pareil à ces hommes faibles et vénéneux, toujours prêts à se déboutonner à n'importe quel moment de la journée et qui aiment à conter des histoires de femmes. La morale du sportif s'accordait avec les convenances honnêtes pour condamner sa conduite. Pierre avait si clairement conscience de sa faute qu'il fut tout à coup pris de panique en pensant qu'il était peut-être un satyre. Ce fut dans cet état d'esprit qu'il descendit à la salle à manger et la présence de l'oncle Chauvieux, qui restait à déjeuner, ne lui apporta pas grand réconfort. L'oncle était distrait, inattentif au silence qui pesait autour de la table. Au courrier de midi, une lettre de Malinier était arrivée à son adresse, « aux bons soins de Mme Lasquin ». Elle était ainsi rédigée :

« Ma chère vieille branche. Je t'écris encore chez ta sœur, car j'ai oublié, lors de notre rencontre aux Champs-Élysées, de prendre ton adresse. Nous nous étions quittés un peu vite, à cause de l'heure, et je pense qu'il nous reste encore pas mal de choses à nous dire. Pourquoi ne viendrais-tu pas un de ces dimanches à la maison ? Ma femme, à qui j'ai bien souvent parlé de toi, serait contente de te connaître. Il me tarde de savoir ce que tu penses de la situation, etc. »

Dès le début du repas, Mme Lasquin leva sur son gendre un regard chargé de douleur et d'indignation. Pierre baissa les yeux en rougissant, avouant ainsi sa pleine et entière responsabilité de l'attentat. Mme Lasquin enregistra l'aveu et se tourna vers son frère pour le prendre à témoin qu'elle avait vu juste. Mais Chauvieux avait l'esprit ailleurs. Songeant à la lettre de Malinier, il se demandait si Élisabeth l'avait inspirée et la pensée qu'on le regrettait peut-être lui était agréable.

Durant tout le temps du déjeuner, Pierre eut à supporter la réprobation muette de sa belle-mère qui ne le quittait presque pas du regard. Il avait les joues brûlantes et le jeune frère de Micheline lui en fit la remarque. La situation était d'autant plus pénible pour lui qu'il n'avait même pas dans son infortune, cette jouissance tonique que procure le goût amer de l'injustice. Il reconnaissait avoir mérité le mépris que doit inspirer un satyre à une âme honnête. Toutefois, la perspective de vivre désormais en face de ce remords vivant qu'était la présence de Mme Lasquin le décourageait. Un pareil calvaire lui semblait au-dessus de ses forces. Depuis qu'il était perdu pour la course à pied, Pierre ne croyait plus en Dieu, mais il songea d'une âme altérée à la fraîcheur du confessionnal où il pourrait déposer son fardeau. « Mon père, je m'accuse d'avoir été luxurieux. En plein midi, alors que j'étais habillé des pieds à la tête... » Cependant, Micheline restait ignorante des affres par lesquelles passait son mari et des mouvements de bile de sa mère. Pierre était révolté par cette tranquille innocence, plus coupable à ses yeux qu'un cynisme agressif. Plus que jamais, il se sentit menacé.

Vers la fin du repas, Chauvieux, moins distrait, s'informa des projets de vacances de sa sœur. Elle n'y avait pas encore pensé, mais elle saisit l'occasion d'affirmer que Micheline avait un grand besoin de repos et le regard qu'elle jeta à son gendre à l'appui de cette affirmation était accusateur. Elle y revint plusieurs fois et il sentit en elle une volonté de le persécuter. Mme Lasquin possédait une maison au Pyla sur la baie d'Arcachon. Elle décida sur-le-champ qu'elle y emmènerait Micheline et Roger dès la fin de l'année scolaire. Rien n'indiquait précisément que Pierre dût être de ce déplacement et il fallut l'intervention diplomatique de Chauvieux pour que ce point fût éclairci. Oui, on l'emmènerait, mais le regard de Mme Lasquin le disait clairement : qu'il se tînt tranquille!

La journée fut décidément mauvaise pour Pierre Lenoir. Il arriva à l'usine avec un quart d'heure de retard et il venait de se mettre au travail lorsque son frère le fit appeler. Cela ne présageait rien de bon. Louis Lenoir, dès son arrivée à l'usine, s'était installé dans le bureau de Lasquin, qu'on avait laissé inoccupé depuis sa mort, en hommage de piété et de modestie. C'était un jeune homme de trente ans, ayant la stature de son père auquel il ressemblait aussi par quelques traits du visage. Mais il n'avait pas cette joie de vivre, débordante, qui se traduisait chez M. Lenoir par une sorte de brutalité enjouée. Son abord était froid, distant, son regard inquisiteur, sa parole mesurée. Il aimait le travail, les responsabilités, l'effort difficile et, ne se rebutant à aucun obstacle, il se consacrait à une tâche avec une passion lucide et méthodique.

Lorsque Pierre pénétra dans le bureau de feu son beau-père, Louis, qui s'y trouvait seul, l'invita à s'asseoir et continua d'écrire pendant quelques minutes. Pour se mettre à l'aise, Pierre songea au mariage extraordinaire de son frère qui avait épousé, malgré la femme de M. Lenoir, une petite chanteuse de café-concert. Mais l'idée de ce mariage ne lui ouvrait aucune voie d'accès et n'adoucissait en rien les contours apparents de ce singulier caractère. La vie sentimentale de cet homme était un compartiment hermétique. Enfin, Louis leva la tête et dit à son frère :

— Ce matin, je suis passé au service du personnel un peu après dix heures et demie. Tu étais parti.

— Oui, je venais d'apprendre par un coup de téléphone que Micheline était souffrante.

— Sans gravité ?

— Sans gravité.

— Je le pensais, dit Louis. Rien ne justifiait donc ton départ et tu as sauté sur un prétexte. Cet après-midi, tu arrives avec un quart d'heure de retard. N'est-ce pas ?

Pierre s'abstint de répondre. Il songeait qu'il lui suffirait de prononcer quelques mots pour se libérer de l'usine et de la tutelle de son frère, mais que ces paroles simples et faciles, un sortilège invincible les empêcherait toujours de tomber de ses lèvres. Louis souleva son buvard et prit une feuille de papier sur laquelle Pierre reconnut le cyclope en gibus qu'il avait dessiné le matin.

— Voilà ce que j'ai trouvé sur ta table.

— Je peux bien avoir une minute de distraction, risqua Pierre.

— Une longue minute, fit observer Louis. C'est une composition soignée qui a demandé du temps et même de la réflexion. Mais la question n'est pas là. Tiens, reprends ton dessin. Une fois pour toutes, il faut que tu comprennes que tu es ici pour apprendre un métier. Plus qu'aucun autre des employés, tu es tenu de surveiller ton travail. En raison de ta situation particulière, on n'a que trop tendance à te considérer comme un amateur et tu dois t'efforcer par tous les moyens possibles à ne pas donner une telle impression. D'abord être exact et attentif à ton travail. Du reste, je saurai y veiller moi-même.

Pierre tenait son cyclope à la main et le regardait avec pitié, comme une dernière et dérisoire tentative d'évasion. L'entretien paraissant terminé, il se leva.

— Rien de nouveau chez toi ? demanda Louis.

— Rien. Micheline et sa mère pensent partir bientôt pour Le Pyla. Justement, j'aurais besoin de savoir quand je pourrai partir moi-même et jusqu'à quand.

— Pour ce qui est de tes vacances, c'est extrêmement simple. Comme tu es ici depuis un mois, tu n'en auras pas. Peut-être en septembre, auras-tu droit à trois jours, mais je crois qu'il serait plus élégant de ne pas les prendre. Tu jugeras toi-même.

Pierre regagna son bureau où il travailla jusqu'au soir presque sans distraction avec la triste espérance de s'habituer à son enfer. Du reste, après les événements de la matinée, l'usine lui semblait moins hostile que l'hôtel de la rue Spontini. Contrairement à ce que pensait son frère, il se résignait facilement à ne pas quitter Paris pendant les mois d'été et l'idée d'être séparé durant plusieurs semaines de sa femme et de Mme Lasquin lui était un soulagement.

XIII

Levé dès avant sept heures du matin, Pontdebois ne tenait pas en place et arpentait les pièces de l'appartement de la rue de Lille. Il était visiblement nerveux et inquiet. Chose inhabituelle et qui donnait à penser au valet de chambre, il avait même pris un bain de pieds. Sa nervosité s'accrut à l'heure du courrier qui lui apportait deux manifestes lancés, l'un par des écrivains de gauche, l'autre par des écrivains de droite, et que les comités respectifs proposaient à sa signature. Celui de gauche mettait les forces vives de la pensée française au service de l'œuvre gigantesque de libération sociale, entreprise par les masses laborieuses. Celui de droite, au nom des écrivains honnêtes et courageux, flétrissait l'œuvre de trahison et de décomposition sociale, entreprise par le Front Populaire. Ces manifestes, Pontdebois aurait voulu pouvoir les signer tous les deux et rayonner ainsi dans toutes les directions. Malheureusement, il n'en pouvait approuver aucun sans se compromettre de quelque côté. C'était enrageant.

— Pour quelle heure dois-je préparer le déjeuner ? demanda Noël à son maître qui était sur le point de partir.

— Je ne sais pas. Une heure. Mais je déjeunerai peut-être dehors. J'essaierai de vous téléphoner. Adieu, Noël.

— Monsieur ne va pas courir un danger en se mettant dans une mauvaise affaire politique ?

En effet, Pontdebois avait dit adieu à Noël avec un accent ému, un peu solennel, comme s'il fût allé à un péril.

— Mais non. Rassurez-vous, je serai peut-être là pour le déjeuner. Allons, au revoir, Noël. Au revoir, mon ami.

Quai Voltaire, Pontdebois chercha des yeux un taxi, mais n'en découvrit aucun, ni en marche, ni en station. Point d'autobus non plus. La chaussée était presque déserte. Seules, de loin en loin, quelques voitures particulières roulaient à des vitesses inhabituelles. De l'autre côté de la Seine, les quais étaient pareillement déserts. Un silence anormal pesait sur Paris ensommeillé et languissant ainsi qu'au lendemain d'une grosse nuit de beuveries et de lampions. Pontdebois pensait à une aube de catastrophe et augurait mal du succès de son expédition. Dans l'espoir que la grève n'avait pas touché le métro, il se dirigea vers la place Saint-Michel et, en arrivant à la station, fut impressionné par le ralentissement de la vie et de la circulation sur le boulevard Saint-Michel. Les cafés avaient rentré leurs terrasses et, sur les trottoirs, stationnaient de petits groupes d'oisifs qui s'entretenaient avec des mines graves. Dans le métro, il essaya de se réconforter en songeant à la lettre qu'il écrirait à sa nièce de Saint-Brieuc, lettre dans laquelle il relaterait, pour la postérité, ses impressions sur cette étonnante physionomie de la capitale. Mais son esprit ne put se fixer solidement sur ce projet d'épître. La gêne qu'il ressentait déjà au sortir de son appartement et qu'avait accrue le spectacle de la rue, tournait à l'angoisse physique. Lorsque le métro ralentissait à l'approche d'une station, il était saisi d'une envie panique de descendre et de rentrer chez lui, mais une sorte de fatalisme le retenait sur sa banquette et le poussait vers le terme de son expédition.

Descendu à la gare de l'Est, Pontdebois alla se poster à la sortie des voyageurs et eut la chance que le train ne se fît pas trop attendre. Il aperçut de loin la haute silhouette de M. Lenoir et sentit son estomac se contracter et ses orteils dans ses chaussures. « Je suis fou », pensa-t-il à la dernière seconde.

— Cher ami, quelle rencontre ! s'écria M. Lenoir. Le hasard ?

— Non, ce n'est pas le hasard. J'ai vu Pierre qui m'a informé de votre arrivée ce matin et j'ai tenu à vous voir pour vous féliciter. Cette grève s'est passée dans un calme étonnant, à faire pâlir d'envie toutes les usines de Paris et de la banlieue. Trois jours d'arrêt, seulement! une occupation partielle ou plutôt un simulacre d'occupation et pas un incident, pas un accroc! c'est tout simplement merveilleux.

Ils marchaient côte à côte sur le trottoir du faubourg Saint-Martin et M. Lenoir remarqua l'absence de taxis et d'autobus. Ils échangèrent quelques propos là-dessus, mais Pontdebois, assez brusquement, revint à la grève de l'usine avec un enthousiasme soutenu.

— Vous voyez, dit M. Lenoir en riant, je n'avais pas exagéré la puissance de mes relations.

— Fichtre non! s'écria Pontdebois. Votre coiffeur est un homme extraordinaire! un homme unique! A ce propos, justement, j'avais quelque chose à vous exposer, mais j'hésite un peu, je me demande si vous n'allez pas trouver ma proposition au moins insolite, pour ne pas dire ridicule.

— Je vous en prie. Nous sommes entre amis, nous n'avons pas à nous gêner.

Pontdebois, le visage légèrement congestionné, toussa pour assurer sa voix qu'il sentait s'éteindre.

— Je vais donc vous exposer mon affaire très simplement. Vous savez ou plutôt vous ignorez que depuis un an, il a été très fortement question de ma promotion au grade de commandeur de la Légion d'honneur. J'ai du reste négligé de m'en occuper. Vous vous doutez bien que toutes ces fariboles me sont, par elles-mêmes, fort indifférentes. Malheureusement, dans notre profession d'hommes de Lettres, il est impossible de n'en pas tenir compte. Pour le public et même pour les spécialistes de la littérature, les titres et les honneurs sont des garanties de la solidité d'une œuvre. Et, mon Dieu, dans une certaine mesure, cela se conçoit assez bien. Tant de gens écrivent aujourd'hui, qui n'ont nullement qualité pour le faire. Quoi qu'il en soit, mes chances d'obtenir la cravate de commandeur se trouvent, du fait de ma négligence, très compromises pour cette année. Et je me suis demandé si, par hasard, votre coiffeur ne serait pas en mesure de rétablir la situation et de me faire rendre justice. Notez que j'ai les meilleurs titres du monde et que si j'avais voulu intriguer, comme tant de mes confrères, je serais commandeur depuis longtemps.

Les deux hommes s'étaitent arrêtés au bord du trottoir. Les yeux gais, M. Lenoir regardait son interlocuteur d'un peu haut, avec une joyeuse curiosité, l'air d'un soudard qui se détend au jeu d'un montreur de marionnettes et en oublie d'être méchant. Il eut un grand rire d'enfant et dit sérieusement :

— Pourquoi pas ? C'est une expérience tentante et instructive. Mon coiffeur a justement sa boutique à deux pas d'ici. Allons-y. Je me proposais d'ailleurs d'y passer, car, bien entendu, je ne me rase jamais avant de partir pour Paris. Vous-même avez bien quelque chose à faire couper, j'imagine ?

— Mais non, c'est idiot, je me suis rasé tout à l'heure et, comme par un fait exprès, je me suis fait couper les cheveux avant-hier.

— Dommage. Il y va peut-être de votre cravate. A votre place, cher ami, je n'hésiterais pas. Je me ferais tailler les cheveux en brosse. Enfin, vous verrez bien.

Le coiffeur avait sa boutique rue des Récollets. C'était un homme d'une quarantaine d'années, un peu replet, au visage mou et au regard éteint. Le salon de coiffure, constitué par un long couloir étroit, était des plus modestes. Les cuvettes et les revêtements, en marbre gris, les sièges cannelés, les glaces à moulures, dont le tain était rongé par endroits, lui donnaient un aspect provincial et désuet. Malgré la proximité de la gare de l'Est, la rue restait à l'écart du trafic et les voyageurs ne fréquentaient guère la boutique. Les hommes du quartier et quelques mariniers du canal Saint-Martin formaient le principal de la clientèle. Le patron opérait lui-même et, avec l'aide d'un seul garçon, suffisait à la besogne. Lorsque Lenoir et Pontdebois pénétrèrent dans le salon, il achevait de couper les cheveux d'un gamin sous la surveillance de la mère qui en voulait pour son argent. Les deux hommes allèrent s'asseoir au fond de la boutique où le coiffeur ne tarda pas à venir les rejoindre. Il s'avança vers Lenoir avec un sourire déférent.

— Vous avez fait bon voyage, monsieur Lenoir ?

— Mon Dieu oui, Moutot, assez bon. Presque pas de retard.

Pontdebois observa que Lenoir n'avait pas tendu la main au coiffeur et lui parlait avec une certaine condescendance, comme à un inférieur. Une telle attitude, qui lui semblait de nature à compromettre le succès de l'entreprise, le contraria. Cependant, le coiffeur le dévisageait discrètement et cherchait à se faire une opinion sur son degré d'intimité avec M. Lenoir. Celui-ci l'ayant rassuré d'un regard, il demanda en baissant la voix :

— Et votre affaire de l'usine, monsieur Lenoir ? tout s'est-il passé comme vous vouliez ?

— Tout a été parfait. Mes compliments, Moutot. Juste trois jours d'occupation et une discipline, un calme incroyable.

— J'aurais pu mieux faire, s'excusa le coiffeur. Quand j'ai eu donné l'ordre d'occuper l'usine pendant trois jours, j'ai failli me raviser. J'aurais dû réduire à une journée, que je pensais. Et puis, tout de même, il fallait un minimum. Les chefs politiques auraient pu avoir des reproches, des ennuis. On est quand même obligé de garder les apparences, n'est-ce pas. C'est aussi une question de correction envers les masses. Enfin, du moment que vous êtes content, c'est l'essentiel.

— On ne peut plus content, mon cher Moutot. Je suis même si content que je vais vous demander autre chose.

— Allez-y, monsieur Lenoir. Pour ce qui est de vous rendre service, je suis toujours prêt.

— Eh bien, j'ai pensé que votre influence pouvait être de quelque poids dans une certaine affaire qui intéresse M. Pontdebois.

Le coiffeur inclina aimablement la tête vers Pontdebois qui répondit par un sourire empreint de tendresse et de bonne volonté.

— Comme vous voyez, mon ami est officier de la Légion d'honneur, poursuivit Lenoir en pointant l'index vers la rosette de l'écrivain, et il a besoin, pour sa situation, pour sa réputation, d'accéder au grade de commandeur de la Légion d'honneur. Voilà, en somme, toute l'affaire.

— C'est bien simple, ce monsieur n'aura qu'à m'inscrire ses nom et prénoms avec les indications nécessaires. Vous en êtes très pressé ?

— Oh ! pressé... oui et non, répondit Pontdebois dont le cœur battait à tout rompre. Évidemment, j'aurais souhaité être compris dans la promotion du 14 juillet, mais je crains qu'il soit bien tard, n'est-ce pas ?

— Laissez donc, ces messieurs n'auront qu'à se débrouiller et faire un peu plus vite. C'est une affaire entendue, soyez tranquille. Et alors, monsieur Lenoir, je vous fais quelque chose, ce matin ?

— Oui, faites-moi la barbe. Pour les cheveux, je crois que ça peut encore aller.

— Je vous les rafraîchirai un peu par-derrière et près des oreilles. C'est l'affaire de deux minutes. Si vous voulez bien venir par ici ?

M. Lenoir alla prendre place sur un fauteuil cannelé, devant une cuvette en marbre gris. Pontdebois s'assit sur le siège voisin et, tandis que le coiffeur s'affairait autour de son client et préparait ses ustensiles, il lui prodigua ses remerciements.

— Je suis confus de vous donner tant de mal.

— Mais non, pensez donc, protesta le coiffeur qui repassait son rasoir. C'est tellement naturel, n'est-ce pas, et ça me coûte si peu. Si je n'avais que des tracas comme celui-là, je ne me tourmenterais guère. Quand on n'a qu'à donner des ordres, ce n'est pas bien compliqué. Malheureusement, il n'y a pas que ça. Ce qui vous mine, c'est d'être toujours à réfléchir, c'est de prévoir et de combiner les affaires du gouvernement. On n'imagine pas le tintouin que ça donne, de gouverner. Surtout pour moi qui ai quand même en plus à m'occuper de mon magasin. Vous me direz, je pourrais prendre un deuxième commis, mais ce n'est pas ce qui pourrait me dispenser d'être là. Un patron ne se remplace pas, le meilleur des commis n'est jamais qu'un commis. Le résultat, c'est qu'à part des petits moments dans la journée, je n'ai guère que mes soirées pour recevoir les membres du gouvernement. Oh! bien sûr, je ne les reçois pas tous, vous pensez, près de quarante ministres, j'y passerais mes nuits. Je ne veux voir que les principaux et ça me prend déjà assez de temps. Je vous dirai même que toutes ces besognes supplémentaires ne plaisent pas beaucoup à ma femme. Elle n'arrête pas de me travailler pour que je lâche tout ça. Mais comme je lui dis, on n'abandonne pas le pouvoir aussi facilement.

Tout en promenant son blaireau sur la face de M. Lenoir, le coiffeur parlait sans l'ombre d'exaltation, d'un débit monotone, comme s'il eût été seul et qu'il se fût mis à penser tout haut. Sa voix molle, presque dépourvue d'inflexions, semblait trahir une grande fatigue, et toute sa personne contribuait du reste à donner cette impression. La flaccidité de son visage, des yeux lourds et mornes d'insomnieux, des mains grasses et livides, le ventre qui s'échappait par l'ouverture de sa blouse déboutonnée, son pantalon rayé dont le pli se cassait sur ses pantoufles de feutre, tout en lui écartait l'idée qu'il pût se livrer à un jeu de l'imagination. Il se déplaçait avec une certaine pesanteur et sa voix devenait soudain plus soucieuse lorsqu'il parlait des varices qui le faisaient souffrir à la saison chaude. Puis il reprenait le fil de son discours sur le même mode uni et récitatif. Pontdebois, effaré, cherchait dans la glace le regard de Lenoir.

— Je le disais encore ce matin à mon épouse, ce n'est pourtant pas ma faute si le hasard a voulu que les destins du pays soient entre mes mains. Je n'en suis pas plus fier pour autant. Mais du moment que ça se trouve comme ça, j'estime que mon devoir légitime est de faire ce qui doit être fait. Pas vrai, monsieur Lenoir ?

— C'est parfaitement évident, mon ami.

Au fond du magasin, à trois pas de M. Lenoir, une petite porte s'ouvrit et souffla un relent fade de couloir humide, d'arrière-cour et de poubelle. Une femme à cheveux gris, au visage maussade, passa la tête par l'entrebâillement et dit à mi-voix :

— Félicien, il y a quelqu'un qui voudrait te voir. Je l'ai fait entrer à la salle à manger.

Le coiffeur tourna la tête et demanda, le rasoir en l'air :

— Qui c'est? Tu peux parler devant ces messieurs en toute confiance.

— C'est le chef de cabinet du ministre de l'Enregistrement. Il dit que c'est très urgent.

Alors, la colère anima tout d'un coup la voix du barbier qui éclata :

— Ah! c'est urgent! eh bien, va lui dire que je m'en fous. Ils ne vont tout de même pas se mettre sur le pied de venir me relancer à toute heure du jour, non? C'est bien joli, la France et tout le tremblement, mais la clientèle d'abord. Mon travail aussi est urgent.

Il se tourna vers son client et le prit à témoin.

— Enfin, quoi, je n'ai pas raison, monsieur Lenoir ?

— Sans aucun doute.

— Alors, demanda l'épouse, qu'est-ce qu'il faut que je lui dise ?

— Dis-lui que je ne sais pas quand je pourrai le recevoir. Peut-être dans une demi-heure. Qu'il attende s'il veut.

Déjà, l'épouse refermait la porte. Le coiffeur la rouvrit et d'une voix apaisée, jeta dans l'ombre du couloir :

— Offre-lui quand même un rafraîchissement. Ça lui aidera à passer le temps. Mais ne lui laisse pas la bouteille, surtout.

Revenant à la barbe de M. Lenoir, il dit en lui raclant la peau :

— C'est que tous ces gaillards-là, ils vous ont bientôt séché une bouteille. Il ne faut pas leur en montrer. Autrement que ça, remarquez bien, ils ne sont pas désagréables. C'est du monde bien gentil, bien doux, mais qui n'a pas l'expérience de la vie. Si je n'étais pas là pour leur dire tout, ils seraient noyés dans pas une semaine. Comme je disais hier soir à M. le Vice-Président, à force qu'il me passe des têtes entre les mains, j'ai fini par savoir ce qu'il y a dedans. La première chose, pour gouverner, c'est d'abord de connaître le Français. L'autre soir, ils sont venus me trouver à quatre ou cinq des ministres de M. Blum. Vous savez ce que c'est, il se trouve des vicieux partout et sur une quarantaine qu'ils sont, c'est presque forcé qu'il y ait du déchet. Ceux que je vous parle, figurez-vous, ils avaient des vouloirs de pousser à la révolution. Mais moi, je leur ai dit halte, la révolution, je n'en veux pas. Le Français, il se moque de votre révolution. Ce qu'il demande, le Français, c'est de gagner gentiment sa vie, bien manger, bien boire, et la distraction. Je vous taille la moustache, monsieur Lenoir ? Moi, ma politique intérieure, elle tient en deux points : nourriture et digestion. Pour la nourriture, c'est facile. Ce qui est délicat, c'est la digestion. Supposez par exemple un individu qui fasse trois bons repas par jour en buvant normalement ses quatre litres de vin. S'il digère dans la mélancolie, forcément il aura des aigreurs et voilà un homme difficile à mener. Quand je vous dis que c'est délicat. Vous me rétorquerez qu'il y a le cinéma, la page sportive et l'apéritif. Affaire entendue, monsieur Lenoir, tout ça tient une place importante dans la vie des Français. Mais enfin, vous m'admettrez que ce n'est pas tout non plus. Ça n'occupe jamais que les heures de loisir. Il reste les heures de travail. Les plus longues, les plus ennuyeuses. A force de regarder le problème en face, j'ai enfin trouvé la solution et j'ai décidé qu'à l'avenir, le travailleur se mettrait en grève tous les trois mois, avec occupation des locaux. Ça lui fait un but dans la vie, n'est-ce pas, et pour lui, l'existence est tout de suite plus gaie. Il y pense pendant son travail, il rumine la chose et le temps passe sans qu'il s'en aperçoive. Tout est là.

— Vous nous en promettez de belles, dit Lenoir.

— Oh! rassurez-vous. Quand je parle de grève, dans mon idée, il s'agit d'une grève de trois jours au plus, peut-être à cheval sur le dimanche. C'est une chose à mettre au point. En somme, juste de quoi distraire l'ouvrier et le patron aussi, du même coup. Que voulez-vous, le Français a besoin de distraction. On ne va pas contre sa nature. Le Français est né avec de l'esprit et de la gaieté. Si vous ne lui laissez pas l'occasion de le montrer, vous en faites un homme diminué. C'est une question de rendement.

— Et la politique extérieure? hasarda Pontdebois.

— Alors, là, vous pouvez vous reposer sur moi et dormir sur vos deux oreilles. Ma politique sera toujours une politique de paix. Je ne suis pas un militariste, moi. Je n'ai jamais admis qu'un individu, parce qu'il a des galons sur les manches, se donne le droit de commander aux autres. Je ne reconnais que le mérite. Notez bien que la patrie, l'armée et même les fêtes nationales et les défilés, je n'en suis pas ennemi, mais j'estime une bonne chose, c'est qu'un homme en vaut un autre et que le fait d'être né d'un côté ou de l'autre de la frontière ne signifie rien. On n'est plus au moyen âge. Non, la guerre, j'aime autant vous le dire, il n'en sera pas question tant que je resterai au pouvoir. Bien entendu, je ne suis pas non plus l'homme à se laisser marcher sur le pied. Et d'abord, je n'admets pas la dictature. Le retour à la tyrannie en plein XXe siècle, ce n'est pas une chose admissible.

Remarquez bien, je suis tolérant. Je n'ai jamais pu souffrir les curés. Ainsi, c'est vous dire. Néanmoins, je considère qu'il y a une limite à tout, même à la patience des honnêtes gens. N'ayez pas peur. Le jour qu'il y aura un coup de torchon aux frontières...

A ce moment, la porte du fond s'ouvrit à nouveau et l'épouse informa d'une voix murmurante :

— Félicien, c'est le ministre des Chemins de Fer à voie étroite.

— Encore ? gronda le coiffeur. Alors, quoi, on n'est plus chez soi. C'est bon, j'arrive dans cinq minutes. Offre-lui une tournée comme à l'autre. Tu mettras aussi la boîte de petits-beurre sur la table.

Il reprit sa besogne et, tout en promenant ses ciseaux sur la nuque de M. Lenoir, prononça rêveusement :

— Ce n'est quand même pas ordinaire. Je me demande ce que ça veut dire. J'avais pourtant bien défendu qu'on vienne me déranger pendant mes heures de travail. Est-ce que, par hasard, il y aurait du nouveau ? Je n'ai pas encore eu le temps de voir les journaux.

— Les journaux n'ont pas paru ce matin, fit observer Lenoir.

— Tiens, c'est vrai. J'ai donné l'autorisation de les supprimer, je ne m'en souvenais plus. Je ne pense tout de même pas qu'il y aurait quelque chose du côté de l'Allemagne...

— Évidemment, depuis que les Allemands occupent la rive gauche du Rhin, on peut toujours se le demander.

— Bien sûr, la rive gauche du Rhin, je ne vous dis pas. Mais vous savez, tant qu'ils n'occupent pas la rive droite... Non, ce n'est sûrement pas aussi grave. Ce que je crois, c'est qu'ils sont peut-être un peu nerveux. Souvent, ils reçoivent des délégations qui les engueulent et ça leur met la tête à l'envers. Comme je vous disais tout à l'heure, c'est des gens instruits, bien élevés, mais sans expérience. Il y en a d'entre eux qui n'ont seulement jamais été dans le commerce.

Le coiffeur ayant fini son office, M. Lenoir lui régla sa dépense en y ajoutant deux francs de pourboire et l'informa qu'il passerait dans l'après-midi pour acheter des objets de toilette. Pontdebois, qui avait préparé une carte de visite revêtue des indications nécessaires, la tendit à son intercesseur.

— Je vais actionner tout de suite le ministre des Chemins de Fer, promit celui-ci.

— Pardonnez-moi, dit Pontdebois, mais l'affaire dépend du ministère de l'Éducation Nationale. Je crois que celui des Chemins de Fer ne fera rien de vraiment utile.

— Il se débrouillera, déclara le coiffeur. Oh! si vous y tenez, je saisirai le ministre de l'Éducation Nationale. Au fond, il serait peut-être peiné que je m'adresse à un autre qu'à lui. Je vais le convoquer pour ce soir.

Comme Lenoir et Pontdebois se disposaient à sortir, la porte du fond s'ouvrit pour la troisième fois.

— Félicien, c'est le ministre des Finances qui vient solliciter un entretien.

XIV

La chose était décidée, Milou serait écrivain et prendrait le pseudonyme d'Évariste Milou. Johnny était venu à bout de sa résistance en lui représentant que la vie des hommes de Lettres est une fête perpétuelle et se passe à courir les banquets, les générales, les inaugurations et les coquetèles mondains. Les éditeurs, affirmait-il, s'ingénient à leur faire accepter de l'argent sans les froisser et l'État leur offre des sinécures et des voyages d'agrément à l'étranger. Dans le secret de son cœur, Milou ne renonçait du reste pas au cinéma et se réservait de saisir l'occasion favorable. Il renâcla contre le pseudonyme choisi par son protecteur et eut quelque peine à s'y habituer, mais Johnny tenait beaucoup à ce prénom d'Évariste qui lui semblait exhaler un parfum de bonnes lettres et d'érudition.

Un après-midi, dans le salon de Mme Ancelot assistée de ses trois filles, il fut procédé, en présence de Johnny, à une première exploration des souvenirs de Milou, qui devaient fournir la matière de son livre de début. On voulait avoir une vue d'ensemble et faire naître l'ambiance. Dans le premier moment, Évariste Milou se montra rétif et déçut son monde. Il n'arrivait pas à accrocher des souvenirs significatifs et sa vie passée lui apparaissait comme une plate-forme désolée. Les dames Ancelot avaient beau le tarabuster en évoquant de sinistres paysages de banlieue et en parlant du sublime quotidien de la misère ou du réalisme magique des soirs faubouriens, sa mémoire ne fermentait pas. Germaine alla même jusqu'à lui réciter, de Baudelaire, la première strophe du *Vin de l'Assassin : Ma femme est morte, je suis libre. — Je puis donc boire tout mon soûl. — Lorsque je rentrais sans un sou. — Ses cris me déchiraient la fibre.* Peine perdue. Milou restait sec.

— Vous me faites marrer avec vos souvenirs, disait-il. Qu'est-ce que vous voulez que je vous dise ? que je travaillais, que je mangeais, que je dormais ?

Johnny, d'une manière tendancieuse, essayait de déclencher un mécanisme d'association :

— Quand tu allais à l'école communale, tu ne te souviens pas d'avoir eu un ami, un petit garçon que tu aimais mieux que les autres, pour ses jolis yeux ou la douceur de sa voix ?

De se sentir ainsi harcelé et au centre de cette impatience, Milou finit par être de mauvais poil. « Si c'est ça, la littérature, ça commence à m'emmerder », pensait-il. Mariette, avec des questions insidieuses et vinaigrées, soutenait l'effort de ses sœurs et, une flamme au coin des yeux, semblait y prendre un méchant plaisir.

— La première fois que tu as volé de l'argent à tes parents, tu ne te souviens pas qu'il y ait eu une scène ?

A ce coup-là, Milou fit explosion et ce fut justement la colère qui lui rendit la mémoire.

— Non, mais dis donc, ça me regarde, hein ? Tu n'étais pas là pour en prendre un coup dans la gueule à ma place. Parfaitement, j'ai volé de l'argent à mes parents et pas qu'une fois. Et après ? Toi, chez toi, tu ne manquais de rien. C'était le biftèque à tous les repas, le piano et les leçons d'anglais. Mais moi, c'était le régime jockey. Quand il y avait à manger, c'était d'abord pour le père. « Dans la situation que j'occupe, il nous expliquait, je ne peux pas me permettre d'avoir l'air de me laisser souffrir. » Nous, bien souvent, on était là pour le regarder qui s'envoyait viande et légume avec ses deux litres de picrate. Et s'il y avait un des mômes qui essayait de la ramener, le vieux lui tombait dessus à coup de tisonnier. Mais il ne l'a pas emporté en paradis. Les derniers temps qu'il était cloué par ses rhumatismes, je lui ai filé des bons coups de chausson dans les côtes et dans les tibias. Oui, je lui ai volé de l'argent. Oh! pas beaucoup. Toutes les fois que j'ai pu. Un jour que ma mère était en train d'accoucher, j'en ai profité pour faucher les derniers quinze francs qui restaient dans le tiroir et j'ai couru chez le charcutier. J'achète un de ces pâtés en croûte que j'en rêvais depuis des années. Il coûtait tout juste quinze francs. Mon petit frère Julien, un môme de huit ans, qui m'avait suivi à la charcuterie, je me rappelle, il en revenait pas. Nous voilà partis dans un chantier de démolition avec le pâté en croûte. Moi, je commence à me tailler des tranches. Le môme me regardait, que les yeux lui sortaient de la tête. Mais le pâté, je me l'étais promis, le pâté en croûte, c'était pour moi. Je le bouffais sans rien lui donner. C'est de l'argent volé, je lui disais, ça te ferait mal. Il était si gros, mon pâté, qu'au dernier quart, je n'en pouvais plus. Mais plutôt crever qu'en laisser. Il n'en est pas resté une miette. J'avais le ventre qui ballonnait. Le même frangin, il pleurait, il rageait, il perdait la tête. En rentrant à la maison, il a mouchardé toute l'affaire. Justement le père rentrait, dans son uniforme de croque-muche. D'abord, il ne voulait pas croire. Quand les esprits lui sont revenus, il m'a attaché par les mains à l'espagnolette de la fenêtre et en avant du tisonnier. Ma mère, qu'était dans les douleurs, gueulait dans la chambre à côté. Moi, comme un âne, bien entendu. Un joli chambard, vous parlez. Mais les coups avaient beau tomber, je me disais, allez, bande de vaches, vous n'aurez rien à manger et moi, je suis nourri que le ventre m'éclate.

Au souvenir, Milou eut un petit rire de haine qui lui découvrait les dents, prêtes à mordre. Mais déjà Germaine le serrait dans ses bras en s'écriant :

— Ça y est! C'est ton livre qui vient et il vient en plein! Sous le signe de la révolte!

— Un révolté, s'extasiait Mme Ancelot en lui prenant la main. C'était un révolté. Cher enfant, comme tout s'éclaire à présent. Révolté!

— C'est d'une atmosphère folle, déclarait Lili, d'une cruauté grandiose et dans une lumière si crue, si pure. Et on entrevoit si bien le complexe. Je ne sais pas si vous le sentez comme moi, mais il y a un érotisme sous-jacent, un morbidisme sobre.

— Ça fait penser aux plus belles pages de Sade.

— Et le père cloué par les rhumatismes, quand son fils lui allonge des coups de pied dans les côtes. Il faudra s'étendre là-dessus. C'est d'une puissance!

— Un très beau conflit de générations. Il faudra l'indiquer aussi.

— Et la mère qui accouche et qui crie pendant que son fils reçoit des coups de tisonnier. C'est d'une beauté inouïe.

— Comme situation, c'est bouleversant, c'est shakespearien. La grandeur de ça! La poésie!

Éloges, exclamations passionnées, on se pressait autour de Milou, on se le disputait, on lui cornait aux oreilles. Les ricanements de Mariette se perdaient dans la rumeur glorieuse et n'y étaient plus qu'un appoint. Johnny en bavait de plaisir. Dans ce tumulte flatteur, Milou avait oublié sa colère et se laissait envahir par une ivresse créatrice. La littérature, il en voulait bien. Révélé à lui-même, il sentait bourgeonner sa mémoire et sa tête était toute pleine d'épisodes de sa vie passée, les uns sombres et violents, les autres canailles ou d'un comique macabre emprunté à la profession du père. Dans un silence dévot, il se mit à dévider ses souvenirs. N'étant plus sous le coup de la colère, il contait avec moins de naturel, mais l'essentiel y était. Jamais l'on n'avait osé espérer que la substance pût être aussi copieuse, ni aussi riche en surprises sordides. Pour Mariette, qui croyait n'avoir rien à apprendre sur le garçon, elle en était malade de fureur et de dégoût. Cependant, sa mère et ses sœurs prenaient fiévreusement des notes.

Milou avait encore beaucoup à dire lorsque la servante annonça Mme Lasquin et sa fille. Cette visite inattendue et des plus surprenantes changea aussitôt l'atmosphère. Aux premiers mots et même au premier coup d'œil, on se rendit compte de l'impossibilité qu'il y avait à faire partager le délire sacré aux nouvelles venues. Pour la première fois, Milou éprouva le sentiment orgueilleux et aussi l'inquiétude d'appartenir à une élite. Il lui apparut clairement qu'en ce triste monde, des milliers et des milliers de personnes seraient à jamais fermées à la poésie, à la puissance, au morbidisme sobre et au réalisme magique de ses souvenirs d'enfance. Et à l'idée de tous ces gens murés dans leur incompréhension, il pensa : « bande de fumiers ».

Micheline avait très habilement surpris la prudence de Mme Lasquin pourtant formée aux usages et aux convenances par les leçons incomparables des Dames de l'Assomption. A la veille de leur départ pour la mer, elles effectuaient des achats dans le quartier de la Madeleine et Micheline, avec une hypocrisie aisée, s'était souvenue qu'elle avait promis à Bernard d'inviter ses sœurs. Il était évidemment trop tard, mais on ne pouvait quitter Paris sans leur faire une visite, même impromptu. Mme Lasquin avait objecté qu'il était bien simple et plus discret d'envoyer une lettre. Ces Ancelot, en somme, on ne les connaissait pas et ils n'avaient jamais rien fait pour manifester leur existence. Mais sa mère étant sans méfiance, Micheline avait eu facilement le dernier mot en lui représentant qu'elle avait de grandes obligations à Bernard. Le pauvre garçon lui avait, pendant plus d'un mois, sacrifié toutes ses matinées. Elle se devait donc à ses sœurs et une simple lettre ne pouvait réparer sa coupable négligence. Mme Lasquin avait cédé.

Micheline, qui méditait cette visite depuis plusieurs jours, n'avait pas pensé que Bernard pût ne pas être à la maison. Informé par l'oncle Chauvieux et dans le détail, de l'entretien qu'ils avaient eu, elle imaginait le cher garçon replié au sein de sa famille et cherchant une issue à un conflit héroïque entre son devoir et sa passion. Au cours de la conversation, elle devait apprendre qu'il venait de commencer un stage d'une année dans une maison d'exportation et qu'il partirait ensuite pour une colonie d'Asie.

Dès l'entrée, Mme Lasquin eut la sensation que leur visite était au moins inopportune. Mme Ancelot et ses filles montraient un empressement poli, mais les regards laissaient paraître quelque étonnement et le ton de l'accueil signifiait assez clairement leur attente d'une explication. Faisant appel à toutes les ressources de sa science, Mme Lasquin mesura le salon d'un regard de stratège et entreprit bravement de retourner la situation. Mère Sainte-Philomène de la Rédemption eût été fière de son élève. La conversation était à peine engagée que les dames Ancelot étaient en proie au sentiment d'une indéfinissable culpabilité à l'égard de Mme Lasquin qui semblait venue tout exprès pour leur octroyer un pardon gracieux et mal mérité. Mais rapidement, elle les mit à l'aise, avec une bonne grâce, un art d'écouter et d'offrir l'occasion d'une repartie heureuse, qui faisaient l'admiration de Johnny et le remettaient au souvenir de quelques délicieux garçons de ses amis d'autrefois, d'une politesse raffinée, et tels que l'époque n'en produit plus, pensait-il en considérant Milou avec sévérité. Le garçon ne s'en souciait guère, fort occupé de se faire une opinion sur Micheline et ne perdant pas un mot de la conversation.

— Évariste Milou, l'écrivain, avait dit Mme Ancelot en faisant les présentations.

Ni le nom, ni la qualité du jeune homme n'avaient échappé à Mme Lasquin qui sut s'en souvenir un peu plus tard. Elle regrettait de n'avoir pas encore lu ses livres dont elle se promettait d'ailleurs maintes délices. Pour se faire pardonner d'ignorer l'œuvre d'Évariste Milou, elle ajouta qu'elle arrivait à un âge où on ne lit guère, mais où on relit, sans préciser qu'elle relisait surtout les almanachs de sa cuisinière. Elle parla aussi de son cousin Luc Pontdebois qui aurait certainement plaisir à connaître son jeune confrère. Bernard n'en ayant jamais rien dit, la famille Ancelot ignorait que l'illustre écrivain fût apparenté aux Lasquin. Cette révélation fit beaucoup d'effet et la température du salon monta aussitôt.

— Évariste Milou me parlait justement l'autre jour de l'œuvre de Luc Pontdebois pour laquelle il a une vive admiration, dit Johnny.

— Je pense bien, approuva Milou. Comme dynamisme, c'est formidable. Je trouve ça d'une beauté! d'une poésie!

— Vraiment? j'en suis bien contente, dit Mme Lasquin qui ne lisait jamais les livres de Pontdebois, car elle les trouvait trop ennuyeux. Oui, Luc a vraiment un grand talent. Et son œuvre est d'une inspiration si élevée!

— Une poésie inouïe!

La conversation se fixa un moment sur Pontdebois. Mme Ancelot et ses filles, même Mariette, firent feu des quatre fers et Johnny eut l'occasion de formuler quelques jugements nuancés et des plus pertinents, quoique à vrai dire, tout comme les dames Lasquin et Ancelot, il ne connût les livres du grand romancier que par des rumeurs de salon. Micheline n'avait guère la tête au cousin Luc et se souciait peu que son œuvre se situât, comme l'affirmait Johnny, au carrefour du divin et de l'humain ou encore qu'il fût arrivé, selon les dires de Lili, à un tournant de sa pensée. Elle avait tout espéré d'une rencontre avec Bernard et s'était promis, au cas où un regard éloquent n'eût pas suffi à vaincre ses scrupules, de lui dire qu'elle aimait mieux mourir que de vivre sans lui. Tandis qu'autour d'elle retentissait le nom de Pontdebois, Micheline s'imaginait dans son lit, pâle et amaigrie, mais belle encore, mourant de désespoir en présence de sa famille qui étouffait des sanglots et, quoique au fond d'elle-même, l'éventualité lui parût extrêmement improbable, elle avait bien envie de pleurer. Cependant, sans qu'elle y prît garde, Milou l'examinait avec une attention sournoise et avide. Non seulement elle était belle, mais la conversation avait déjà révélé que les Lasquin étaient de gros industriels. Avant même qu'il eût été question de l'usine, il avait d'ailleurs compris que les deux visiteuses étaient d'une autre condition que les Ancelot. Ces santés affables, ces airs de sécurité innocente, cette aisance à disposer des autres et jusqu'à certaine absence de mystère, tout à ses yeux trahissait chez elles la richesse véritable, celle qui n'éprouve pas le besoin de prendre conscience de ses limites. Cette découverte d'un monde nouveau qu'il avait toujours attendu comme un au-delà, éveillait en lui de vives impatiences. Tandis que ses regards se repaissaient de tant de richesse ingénue, mesurant en même temps et détaillant la beauté de Micheline, il était ému d'un désir haineux qu'il comptait bien assouvir un jour. En vrai conquérant qui n'aperçoit pas les obstacles dressés par les conventions et qui décide la conquête avant même d'en avoir entrevu les moyens, il avait jeté son dévolu sur elle. Déjà Johnny et la famille Ancelot n'étaient plus pour lui que des étapes, des marchepieds. Il s'était fixé le véritable but de sa vie.

Lili et Mariette quittant le salon pour aller préparer des coquetèles, Micheline les suivit à l'office. Elle avait espéré que les jeunes filles lui parleraient de Bernard, mais son attente fut d'abord trompée. Tout en opérant ses mélanges, Mariette se contentait de lui adresser quelques paroles aimables et insignifiantes, tandis que Lili racontait comment, l'avant-veille, elle était rentrée ivre à trois heures du matin après avoir, disait-elle, tenu le coup jusqu'à plus de minuit.

— Ce qui m'a achevée, c'est le champagne au gin. A la cinquième coupe, j'étais complètement groggy. Bob a été obligé de me ramener chez moi, je ne tenais plus debout.

Cependant, Mariette invitait Micheline à absorber un coquetèle pour s'assurer que le mélange était honnête, puis un autre pour se confirmer dans sa première impression. Les jeunes filles, très entraînées, avaient bu les leurs sans éprouver rien de plus qu'une fugitive sensation de chaleur. Micheline, mariée jeune, fiancée presque au sortir de pension, n'était pas encore adonnée à l'alcool. Elle nourrissait même à l'égard des boissons fortes une certaine méfiance que Pierre entretenait soigneusement et qui faisait sourire ses amies. Ces deux coquetèles avalés coup sur coup produisirent un effet presque immédiat. Les pommettes chaudes, les paupières lourdes, Micheline sentit se répandre en elle une mélancolie heureuse et se mit à parler de Bernard. La conversation devenait tout d'un coup très facile et rien ne coûtait à dire. Il est toujours triste, répondait la voix de Mariette ou de Lili, il ne parle pas ou alors, c'est pour nous rabrouer, et il nous regarde d'un air dur, comme s'il avait quelque chose à nous reprocher. Micheline soupirait. Avec elle aussi, il avait été dur.

— Tout aurait pu être si simple s'il m'avait expliqué les choses. Mais je ne l'ai pas vu. C'est ma faute aussi. J'aurais dû venir le trouver plus tôt, sans perdre un jour, ou au moins lui écrire, lui téléphoner. Qu'est-ce qu'il a pensé de mon silence? Ah! vraiment, j'ai été stupide, j'ai mérité qu'il m'oublie. Et je pars demain matin. Pendant plus d'un mois, je vais être absente. Seule avec maman dans cette grande maison du Pyla, et ne rien savoir de ce qu'il fait, de ce qu'il pense. Croyez-vous que si je lui écrivais, il se déciderait à venir passer quelques jours là-bas?

Tout en parlant, Micheline s'aperçut soudain que les silhouettes un peu floues de Mariette et de Lili ne se trouvaient plus en face d'elle, de l'autre côté de la table, là ou elles s'affairaient tout à l'heure. Tournant la tête pour les retrouver, elle découvrit une autre silhouette dont la vue ne la surprit pas trop. C'était lui. Il se tenait derrière elle, dans le demi-jour de l'office, et respirait presque sur sa nuque. Ce fut après lui avoir passé ses bras autour du cou en balbutiant le prénom de Bernard que Micheline reconnut Évariste Milou, le jeune écrivain. Le garçon ne semblait du reste nullement scandalisé, ni même contrarié. Il était certainement ému, attendri, comme on pouvait attendre d'un fidèle ami de Bernard. Son sourire était doux et cordial et ses mains avaient des attentions timides, mais délicates. Dans sa déception, Micheline fut heureuse de se consoler à cette discrète sollicitude et, avec confiance, appuya sa tête alourdie par l'alcool sur l'épaule de l'ami compréhensif qui savait compatir à sa peine.

— Alors, comme ça, vous partez demain? demanda-t-il doucement. Comment est-ce que vous appelez le pays où vous allez?... Le Pyla, oui. C'est de quel côté?... près d'Arcachon. Et vous y resterez longtemps?

— Pas plus d'un mois. Pierre ne pourra pas quitter l'usine et je pense que nous passerons le reste de l'été à Paris. Croyez-vous que Bernard veuille venir au Pyla?

— Peut-être. Moi, j'irai probablement passer mes vacances de ce côté-là. Je tâcherai de vous l'amener.

La tête encore reposant sur l'épaule de Milou, Micheline vit apparaître dans l'encadrement de la porte l'image incertaine de Mariette et, sans aucune gêne, lui sourit avec amitié. Mariette considéra le couple d'un air amusé et plutôt satisfait qui intrigua Milou.

— Mon Dieu, on doit se demander où je suis passée, dit Micheline en soulevant sa tête avec effort. Est-ce qu'on ne voit pas trop que je viens de boire deux coquetèles? Je me sens la tête un peu lourde et il me semble que je suis rouge.

— Ce n'est rien, assura Mariette. Venez vous mettre un peu de poudre.

Ce soir-là, Bernard rentra vers onze heures en compagnie de

son père. Il leur arrivait maintenant assez souvent de dîner ensemble au-dehors et les dames Ancelot ne s'en plaignaient pas. Depuis que son fils travaillait, M. Ancelot ne se lassait pas de le donner en exemple à ses femmes et ne savait plus parler de lui qu'avec un enthousiasme à la fois trémolant et agressif qui aboutissait régulièrement à des colères pourpres : « Quand je pense que j'ai là trois grandes bringues qui n'ont pas honte de voir s'échiner leur jeune frère », commençait-il en manière de transition. Au fond, le pauvre homme n'était pas sans remords et se reprochait un peu d'avoir engagé ce grand garçon rêveur dans une vie laborieuse et mélancolique, assez semblable à la sienne. Naguère encore, lorsqu'il croyait son fils incapable de rien faire, il l'admirait secrètement de mener une existence oisive et inutile. Il lui semblait maintenant l'avoir en quelque sorte dévoyé en le réduisant imprudemment à un triste et commun dénominateur humain. Aussi l'entourait-il d'une sollicitude exagérément maternelle, comme s'il eût craint de le voir s'user ou se casser, tel un objet précieux exposé aux tribulations du vulgaire. A son bureau, il lui arrivait d'avoir avec Logre d'interminables entretiens en vue de choisir un cadeau pour Bernard ou d'examiner quel régime alimentaire lui était le plus profitable.

Mariette était restée seule à la maison et lisait dans la salle à manger.

— Vous avez dîné? demanda-t-elle aux deux hommes qui rentraient.

— Évidemment, répondit M. Ancelot avec une pointe d'impatience. Tu ne penses pas que j'aurais attendu jusqu'à minuit pour faire manger un garçon qui a fourni toute une longue journée d'effort. Cette question.

Il se tourna vers son fils pour l'engager à aller se coucher.

— Pense que tu te lèves tôt, demain matin, dit-il avec un accent de tendresse navrée, et il ajouta avec un mauvais regard à Mariette : ce n'est pas comme toi.

Il eut bien envie d'enchaîner, mais il se retint en pensant qu'il faisait ainsi l'économie d'un bon quart d'heure.

— Tu n'as besoin de rien? demanda-t-il à Bernard. Tu ne veux pas quelque chose, une tisane?

— Mais non! pourquoi une tisane? je ne suis pas malade.

La grosse tête rubiconde de M. Ancelot s'effaça entre ses larges épaules. Il eut un sourire humble, presque craintif et s'excusa :

— C'est vrai, je suis bête. Mais quand on a travaillé toute une longue journée, qu'on s'est penché sur des colonnes de chiffres et sur des dossiers, on a quelquefois mal à la tête ou ailleurs. C'est une chose qui arrive souvent. Allons, bonsoir.

Il se retira dans sa chambre pour y écrire des lettres jusqu'à deux heures du matin et, avant de sortir, murmura pour son fils :

— Bonsoir.

Bernard s'assit dans un coin de la salle à manger, à l'écart de Mariette et resta silencieux. Depuis qu'il s'était condamné à ne plus voir Micheline, il était ordinairement dans un état de torpeur et d'incertitude, qui lui faisait craindre également la compagnie et la solitude. Mariette, le nez dans son livre, l'observait à la dérobée. Sûre de son effet, elle ne se pressait pas de parler.

— Tiens, j'oubliais, dit-elle enfin. Cette après-midi, nous avons eu une visite.

Un son vague fut toute la réponse de Bernard marquant qu'il avait entendu et ne souhaitait pas en apprendre davantage. Elle laissa s'écouler une minute et ajouta comme sans y penser :

— C'était Mme Lasquin.

Penchée sur son livre, elle feignit de ne pas voir son frère qui venait à elle. Il le lui prit des mains et le jeta sur la table.

— Parle. Qu'est-ce qu'elle venait faire?

— Mais je ne sais pas. Rien. Elle venait faire une visite.

— Elle était seule?

— Oui. Mais non, que je suis bête. Elle était avec une dame, ah! j'ai oublié son nom. Une dame... enfin, sa fille. J'y suis, Micheline Lenoir.

Très ému à la nouvelle de cette visite, Bernard fut pris tout à coup d'une horrible inquiétude qui ne laissait plus de place à un autre sentiment.

— Mon Dieu, gémit-il, pourquoi faut-il qu'elles soient venues. Moi qui avais si peur qu'elles connaissent toute cette saleté. Si j'avais été là, je les aurais reçues dans ma chambre ou je les aurais emmenées au café. Ç'a dû être du propre. Qu'a pu penser Micheline de toutes vos singeries, de toutes vos cochonneries? Quel écœurement!

— Je t'assure, protesta Mariette, tu fais tort à ta petite famille. Tout s'est passé le mieux du monde. Maman a été épatante. Tout à fait Régence, mamouchka, avec un je ne sais quoi d'un peu sec, d'un peu gourmé, très dans la note anglaise. Et si tu avais vu tes sœurs, tu aurais juré trois petites pensionnaires. Par exemple, quand la conversation est venue sur Pontdebois, il aurait fallu nous entendre parler du sexualisme profane et du sexualisme religieux comparés. C'était d'une décence, mon cher. Un régal.

— Ce n'est pas vrai? Mariette, Mariette...

— Sur le même sujet, Johnny a dit des choses très fines.

— Ce vieux pitre! cette vieille saleté! il était là?

— Ne dis pas de mal de Johnny. Il s'est montré parfait jusqu'à la dernière minute et toujours si imprévu, si drôle. Tu sais comme il est quand il sent Milou près de lui. Une façon de gazouiller qui surprend un peu, mais tout à fait charmante. Un vrai canari.

Accablé, perdant la tête, Bernard, à chaque nouveau trait, poussait un gémissement douloureux. Mariette poursuivait avec un enjouement discret :

— Milou lui-même a été relativement irréprochable. Oh!

bien sûr, il faut l'excuser. Tu connais son genre. Un peu lourd, un peu brutal, avec des manières de casse-cœur. Mais j'ai eu l'impression qu'il ne déplaisait pas à Mme Lenoir. Il a su se montrer galant et même entreprenant, mais en somme, sans rien exagérer.

— Voyou. Sale goret. Si jamais je le rencontre ici, je lui casse la gueule, gronda Bernard.

— Ne te mets pas en colère, voyons. Du reste, tout ça est sans importance. Mme Lasquin et sa fille s'en vont en vacances demain matin.

La conversation en était là lorsque M. Ancelot, qui avait entendu des éclats de voix, entra dans la salle à manger. Voyant le visage bouleversé de son fils, il prit Mariette à partie avec un élan qui faisait présager d'amples développements, lui reprochant dès le départ de conspirer contre la santé de son frère et de manœuvrer, elle qui ne fichait rien de ses dix doigts, à le mettre hors d'état de poursuivre son labeur. Sur ces entrefaites, Mme Ancelot et ses deux autres filles, retour d'un meeting F. P., firent irruption dans la salle à manger. En les voyant, Bernard, qui venait de se recueillir et semblait plutôt apaisé, fut saisi d'un accès de rage touchant à la démence et se mit à invectiver contre sa mère et ses sœurs. Les yeux injectés, le souffle court, il les traitait de vaches, d'idiotes, de sales bêtes, de cinglées, et encore de vaches. D'abord interdites, elles le prirent de très haut, ce qui déchaîna la grande voix de M. Ancelot. Il ne comprenait rien à la fureur de son fils, mais il accusait sa femme et ses filles de l'avoir provoqué. Fortes de leur innocence, elles ne se laissaient pas intimider. L'orage fut si violent que les locataires de l'étage supérieur cognèrent au plafond.

— Vous êtes fous tous les deux, aussi fous l'un que l'autre! clamait la mère.

— Oui, je suis fou, hurlait M. Ancelot, mais c'est moi qui vous ferai enfermer! Bernard, dis un mot, un seul mot, et je les fais enfermer demain ! Toutes les trois, toutes les quatre au cabanon ! avec le dynamisme et la poésie formidable !

Dégoûté par cette querelle qui n'était plus la sienne, Bernard finit par emmener son père. Mme Ancelot demeura dans la salle à manger au milieu de ses filles et goûta le repos délicieux d'un moment de silence après la tempête.

— Enfin, dit-elle en s'adressant à Mariette, comment les choses sont-elles arrivées ?

Mariette leva les yeux et répondit d'une voix dolente et tout attristée :

— Je n'y comprends rien. J'étais là, dans la salle à manger, avec Bernard. Nous parlions de choses et d'autres, de l'après-midi, de je ne sais quoi. Tout d'un coup, papa est entré et s'est mis à me reprocher de faire veiller Bernard. C'est à ce moment-là que vous êtes arrivées. Vraiment, je ne comprends pas.

XV

— Je vous demande de venir le voir, avait dit Élisabeth en téléphonant à l'usine. Les événements l'affectent beaucoup. Je suis très inquiète. C'est chez lui une sorte d'obsession qui tourne à la neurasthénie, pour ne pas dire plus. Je crois que votre visite lui ferait du bien. Il a une grande confiance en vous et serait vraiment heureux de vous voir. Je vous en prie, venez.

Chauvieux avait promis et il s'exécuta le dimanche suivant après déjeuner.

La chaleur d'août faisait monter dans l'appartement l'odeur fade des fonds de rue abrités du soleil. Gilbert, le petit garçon des Malinier, agenouillé sur sa chaise habituelle et la tête renversée sur l'appui de la fenêtre, regardait un pan de ciel en rêvant à des eaux vives. La radio transmettait en sourdine les discours prononcés dans un meeting du Front Populaire. Les applaudissements et les acclamations parvenaient en longues rumeurs étouffées, comme d'une rue lointaine. Coiffé d'un képi de lieutenant, Malinier était assis au bas bout de la table et le regard fixe, le front creusé de rides profondes, restait en arrêt devant la première page d'un journal dont les titres énormes lui mangeaient la cervelle. Nos frères d'Espagne ont des droits sur nous, disait la manchette. Il tenait dans sa main droite un chiffon de flanelle et, s'arrachant parfois à sa contemplation, s'en servait pour essuyer la crosse ou la culasse d'un fusil dont le canon s'appuyait, à l'autre bout de la table, sur une espèce de créneau aménagé dans une triple pile de livres. Soudain, la radio se mit à parler d'une voix singulière, ne ressemblant en rien à celles des orateurs précédents. C'était une voix chaude, étrangement déliée, qui forçait l'attention par le jeu aisé et savant de ses inflexions. Sans quitter du regard la manchette du journal, Malinier avait dressé l'oreille. Et il entendit la voix prononcer les mêmes mots qui s'étalaient sur la feuille en grosses capitales : Nos frères d'Espagne ont des droits sur nous. Il en fut troublé et agité. La rencontre lui paraissait menaçante et suspecte. Il prit dans sa poche une paire de jumelles et, s'allongeant à demi sur la table à côté de son fusil, regarda par le créneau. A travers ses jumelles, il distingua nettement la révolution qui montait, un grouillement infâme de communistes débraillés, de juifs, de socialistes prébendés, d'alcooliques, de radicaux barbus, de peintres cubistes, d'espions allemands et de provocateurs moscovites. Tout en dévorant la substance de la France, la horde avançait lentement, avec des pauses et des reprises, mais d'un sûr et ample mouvement de marée. Tout à coup, le panorama de la révolution se brouilla et Malinier ne vit plus rien. Après avoir vainement essayé d'accommoder ses jumelles, il se décida, non sans répugnance, à trahir certaine convention et, jetant un coup d'œil par-dessus la pile de livres, se trouva en face de son fils qui suivait la manœuvre avec intérêt.

— Qu'est-ce que tu foutais ici? demanda-t-il, soupçonneux.

Surpris et un peu effrayé, l'enfant ne répondait pas et souriait d'un air embarrassé.

— Je te demande ce que tu venais foutre ici, insista Malinier d'une voix rageuse.

Cette hargne et cette incompréhensible suspicion démontaient Gilbert qui baissa la tête et se mit à pleurer. Le père descendit de sur sa table, souleva le bambin dans ses bras et en l'embrassant, lui dit à mi-voix, avec impatience :

— Allons, c'est bon, n'en parlons plus. Ne pleure pas. Ça ferait encore des histoires. Va-t'en à la fenêtre, va.

Tandis que Gilbert s'éloignait en reniflant, il revint s'asseoir en face de son journal et murmura en donnant un coup de chiffon à la culasse de son fusil :

— Ils passent tous à la révolution, l'un après l'autre. Je suis tout seul. Tout seul.

Chauvieux arriva vers trois heures. Élisabeth l'accueillit à la porte et lui parla presque à voix basse, comme dans l'antichambre d'un malade. Devant l'inquiétude de la jeune femme, il oubliait qu'ils avaient été amants et ne voyait, dans le tendre regard d'Élisabeth, que l'imploration d'une épouse en peine. En entrant dans la salle à manger, il fut impressionné par l'attitude de Malinier et son appareil guerrier.

— C'est M. Chauvieux qui vient te voir, annonça Élisabeth.

Malinier se leva d'un mouvement joyeux et s'empressa à la rencontre du visiteur. En lui montrant son fusil, ile ut un sourire et crut devoir expliquer qu'il venait de le nettoyer, mais ne parut pas se souvenir qu'il avait sur la tête son képi d'officier de réserve. Pendant quelques minutes, la conversation fut cordiale et gaie. Puis, Malinier ne tarda pas à être distrait. De nouveau, il eut un visage soucieux, un regard intérieur que celui de Chauvieux ne rencontrait plus, et ses paroles venaient avec effort, parfois à contretemps et même à contresens. La présence de sa femme semblait lui causer quelque impatience. Elle laissa les deux hommes en tête à tête, s'excusant sur ses devoirs de mère de famille qui l'appelaient auprès de Jacqueline. Gilbert était resté et, de loin, surveillait l'étranger avec curiosité.

Assis à portée de son fusil, Malinier regardait Chauvieux d'un air hésitant et, soulevant son képi, le déplaçait sur sa tête comme s'il eût cherché une position préférable. L'ayant assuré d'un geste résolu, il parut sur le point de parler, mais se ravisa et passa le chiffon de flanelle sur la crosse de son fusil. Enfin, il se tourna vers son fils qui venait de s'asseoir à l'autre bout de la table et lui dit d'une voix doucereuse :

— Va donc retrouver ta maman à la cuisine. Va vite, mon chéri.

Il le suivit des yeux jusqu'à la porte, et, l'enfant disparu, eut un soupir de soulagement.

— On est tout de même plus tranquilles. Ce n'est pas que je me méfie, mais sa mère et lui, je les connais. Enfin, on est plus tranquilles.

Tirant sa chaise, il se rapprocha de Chauvieux presque à le toucher et arrêta sur lui un regard où brillaient la menace, la colère et l'appréhension.

— Alors, cette fois, ça y est bien, dit-il d'une voix âpre. C'est bien ce que j'ai dit et répété. La France fout le camp comme un lavement. Quoi ? ce n'est pas vrai, peut-être ?

Prêt à renier son camarade, à l'injurier, il guettait sa réaction. Chauvieux approuva d'un mouvement de tête énergique et répondit d'un ton pénétré :

— Évidemment. La situation est grave, terriblement grave.

— Ah ! quand même ! quand même ! s'écria Malinier. Je ne suis pourtant pas tout seul à en convenir !

— Il faut avoir le courage de voir les choses comme elles sont, dit encore Chauvieux.

— Oui, mais personne ne peut les voir comme je les vois, personne ! Non, tais-toi, tu ne sais rien, tu ne te rends compte de rien. Il faut que je te dise tout.

Malinier, avec une violence encore contenue, se mit à énumérer les plaies de la France et à décrire les fléaux qui la guettaient. En l'écoutant, Chauvieux songeait que ce dérangement d'esprit devait sans doute être rapporté autant à des déceptions sentimentales qu'à des angoisses patriotiques. La méfiance de Malinier à l'égard de sa femme, qu'il soupçonnait d'avoir passé à la révolution, ne pouvait être que le prolongement d'une certitude touchant leur vie intime. Il confondait certainement dans une même haine les ennemis de la patrie et ceux de son foyer. Chauvieux réfléchissait qu'une telle confusion n'était pas déraisonnable et, sans aller jusqu'au remords, il était un peu ennuyé d'avoir été l'amant d'Élisabeth. Mais bientôt, il n'y pensa plus. Malinier, les yeux égarés, parlait maintenant avec une véhémente et obscure éloquence d'où surgissaient de terrifiantes visions de guerre civile, d'assassinats, de viols, de pétroleuses et de barricades. Il voyait la France envahie jusqu'à la Somme par les armées allemandes et capitulant après deux ou trois années de résistance pour achever de se dissoudre dans le communisme, l'anarchie, l'alcoolisme, le cubisme et la luxure, et devenir pour le monde un objet de mépris. Le pire était qu'il fût seul pour faire face à d'aussi effroyables perspectives. Déjà le spectacle de l'inconscience et de la veulerie des Français lui était insupportable.

— Que toutes mes blessures se rouvrent, que mon sang s'écoule jusqu'à la dernière goutte ou je prends mon fusil et je tire sur le premier cochon qui passe sous mes fenêtres, homme ou femme! s'écria-t-il dans un accès de démence.

Épuisé, il se tassa sur sa chaise et, silencieux, se mit à manier la visière de son képi pour lequel il cherchait une nouvelle assiette.

— Au fait, murmura-t-il, je ne vois pas pourquoi je te dis tout ça.

Il abandonna sa chaise et, s'allongeant sur la table comme il avait déjà fait, braqua ses jumelles devant le créneau. Après avoir émis quelques gloussements, il quitta son observatoire et dit à Chauvieux en lui tendant les jumelles :

— Tiens, tu n'as qu'à te rendre compte par toi-même.

Chauvieux prit les jumelles et se pencha sur le créneau, mais Malinier exigea qu'à son exemple, il s'étendît sur la table, seule position convenable à son estime. Chauvieux s'exécuta sans protester.

— Braque bien au milieu, lui dit Malinier lorsqu'il fut en place. Tu les vois ? Est-ce que tu distingues les peintres cubistes ? un peu sur la gauche.

Cinq ou six ans auparavant, bien après que la mode en fut passée, il avait eu l'occasion de voir quelques échantillons de peinture cubiste. Il n'y avait plus pensé, mais depuis quelques jours, le souvenir lui en était revenu comme d'une monstrueuse perversion et les peintres cubistes lui étaient apparus tels des ennemis dangereux, à l'égal des communistes et des objecteurs de conscience.

— Je suis bien content d'avoir vu tout ça, déclara Chauvieux en lui rendant les jumelles. Je constate que tu n'es pas homme à te laisser surprendre par les événements. Maintenant, il faut que tu saches pourquoi je suis venu te trouver. Nous sommes quelques-uns, comme toi, à nous rendre compte que la situation est grave et nous avons pris la résolution d'être prêts à toute éventualité en ne comptant que sur nous-mêmes.

Malinier écoutait avidement et déjà son visage s'éclairait.

— Ce n'est pas un truc de ligues patriotiques ? demanda-t-il, méfiant.

— Non, sois tranquille. C'est un groupe d'action secrète qui comprendra, au plus, deux cents hommes, mais des gens sûrs, comme toi, prêts à faire le sacrifice de leur vie. De gros effectifs sont encombrants, difficiles à manier et on ne peut plus compter sur le secret.

Chauvieux expliqua en quoi consistaient les buts et les méthodes d'action de ce groupe secret. Malinier buvait ses paroles. Il éprouva bien quelque déception en apprenant que le terme de l'entreprise serait à longue échéance, mais l'importance de la tâche qu'il devait personnellement assumer le rassura. Il était chargé, en attendant le coup d'État, de se livrer à une étude approfondie sur le milieu et l'activité des compagnies d'assurances et, en outre, d'avoir partout l'oreille au guet, dans la rue, dans l'autobus, au café, afin de se rendre compte de l'état des esprits. Il devrait, chaque semaine, envoyer un ou deux rapports à Chauvieux qui les transmettrait au comité d'étude.

— Naturellement, il faudra que tu sortes un peu, que tu ailles au cinéma, au spectacle. Voir surtout des opérettes et du music-hall. C'est là qu'on saisit le mieux les réactions du public. Surtout, montrer beaucoup de prudence et une dissimulation parfaite. A partir d'aujourd'hui, tu n'as plus d'opinions. Rien de ce que tu entendras dire autour de toi ne pourra t'émouvoir. Tu auras toujours un sourire amusé ou optimiste pour encourager les bavards. Oh! ce n'est pas facile.

— Ne te tourmente pas. Je saurai bien m'arranger.

Chauvieux désigna le fusil, les jumelles et le képi.

— Bien entendu, il ne peut plus être question de ce genre d'amusette. Tu vas me faire le plaisir de remiser ça immédiatement.

Non sans regret, Malinier ôta son képi et, après avoir ramassé fusil et jumelles, boucha le créneau avec un dictionnaire.

— Pour en revenir à la situation, dit Chauvieux, il n'y a pas lieu de s'affoler. Tous ces communistes sont de très braves gens et on doit pouvoir s'entendre avec leurs chefs.

Malinier cogna le plancher de la crosse de son fusil et, l'œil en feu, se mit à invectiver contre la racaille communiste.

— Tu vois, dit Chauvieux, tu te laisses prendre comme un enfant. Au seul mot de communiste, tu perds la tête. C'est très embêtant, je t'assure. J'ai cru pouvoir compter sur ton sang-froid et maintenant, je me demande s'il ne vaudrait pas mieux en rester là.

Confus, Malinier s'excusa et le supplia qu'il voulût bien oublier cette sortie malheureuse. Il promettait de se dominer désormais en toutes circonstances.

Quelques instants plus tard, Chauvieux se trouvant seul avec Élisabeth qui venait d'envoyer son mari faire des achats dans le quartier, elle lui prit les mains et dit : « J'ai eu tort, ne m'en veuillez plus. » Il répondait : « Mais non, mais non », et cependant restait lointain.

— Maintenant, c'est vous qui avez des scrupules, soupira-t-elle.

— Plutôt de l'héroïsme, dit-il en la pressant contre lui. Depuis que vous avez laissé les clés sur la commode, je vous ai attendue tous les jours et avant-hier, quand vous m'avez appelé au téléphone, j'ai été bien heureux. Je me suis réjoui de cette mélancolie de Malinier, qui me valait votre appel. Et maintenant, je ne peux plus m'en réjouir. Il est beaucoup plus atteint que je ne pensais. Avec vous, il semble qu'il observe une certaine prudence et peut-être ne le voyez-vous pas comme il m'a été donné de le voir tout à l'heure. Sans doute les événements politiques lui ont-ils tourné la tête, mais je crois que ses déceptions sentimentales y sont pour beaucoup et même pour le principal. J'ai imaginé une petite histoire pour lui occuper l'esprit, mais je n'ose pas en attendre grand-chose.

Chauvieux parla du groupe d'action secrète et de la tâche qu'il venait d'assigner à Malinier.

— C'est exactement ce qu'il lui fallait, dit Élisabeth. Il est sauvé.

— Vous allez trop vite, Élisabeth. Il le sera si vous le voulez fermement et patiemment. Vous seule pouvez quelque chose. Que voulez-vous que je vous dise de plus ? Je n'ai jamais été marié, mais je n'ai pas besoin de l'avoir été pour imaginer ce qu'une jeune femme peut apporter à un homme de quarante-cinq ans.

Élisabeth se mit à pleurer. En lui caressant les cheveux du revers de la main, Chauvieux songeait qu'elle était trop bien pour Malinier (mais non pas pour lui). A moins que ce ne fût tout juste le contraire. Peut-être qu'Élisabeth ne méritait pas d'être la femme d'un tel homme à qui il fallait bien plutôt une virago cocardière, une de ces créatures sans sexe, qui tiennent du zouave et de la jument, telles qu'on en voit dans les ligues patriotiques et les défilés de Jeanne d'Arc. Mais pourquoi diable Élisabeth l'a-t-elle épousé ? se demandait Chauvieux. C'est vrai, il portait l'uniforme. Et pour plaire à un cœur de dix-huit ans, il avait aussi cette limpidité et cette belle humeur de certains militaires que le métier conserve dans une ignorance presque virginale des tristesses de la vie. Mais ce n'est plus une séduction pour une jolie femme de vingt-cinq ans. Sans compter que les hommes d'une foi ardente mais sans ornement, sont toujours un peu ridicules aux yeux d'une belle personne de cet âge-là. Je suis sûr qu'elle trouvait son mari très inférieur à ce pauvre Lasquin. Et pourtant. Ce n'est pas Lasquin que ses angoisses de patriote auraient poussé à la folie. Moi non plus, d'ailleurs, moi non plus.

Tout en payant ce loyal tribut à l'amitié, Chauvieux posait ses lèvres sur la nuque et sur l'oreille d'Élisabeth et avait bien envie de faire tout ce qu'il fallait. Heureusement, Malinier ne pouvait tarder beaucoup à rentrer. Il était allé à la pâtisserie de la rue des Batignolles. Mais le fait est qu'il tardait. Peut-être profitait-il de cette course pour promener les enfants. Peut-être qu'on avait le temps. Élisabeth disait chéri, disait mon cœur, mon doux péché, je suis ta femme, avec un sanglot d'attente. Après tout, tant pis, pensa Chauvieux, puisque je l'aime. Au même instant, Malinier rentrait avec les enfants. En sortant de la pâtisserie, il s'était arrêté dans un café où il s'était mêlé à la conversation de quelques buveurs.

— Je n'ai pas perdu mon temps, dit-il lorsque sa femme fut sortie pour préparer le thé. Ce soir, je vais te rédiger un premier rapport et je te promets qu'il sera tapé. Par exemple, si tu m'avais vu, je crois que tu aurais été un peu estomaqué. Imagine qu'à un moment donné, je me suis mis à déblatérer contre l'armée. Moi, Malinier, j'ai déblatéré contre l'armée!

Au souvenir, il lui vint un grand rire et Chauvieux, qui le regardait avec une certaine tendresse, augura bien de cet accès de gaieté. Mais la belle humeur de Malinier ne se soutint pas longtemps. Le thé dans les tasses, il tomba dans une rêverie morose et à plusieurs reprises, sa main chercha la visière de son képi. Avant de partir, Chauvieux lui rappela ses obligations de conjuré et eut l'impression de l'avoir remis d'aplomb. Les adieux muets d'Élisabeth furent d'une éloquence obsédante et, en emportant la vision de ses beaux yeux humides, Chauvieux, qui formait honnêtement des vœux pour que tout fût fini entre eux, comptait bien qu'elle viendrait lui rendre visite dès le début de la semaine.

Le rendez-vous avec Bernard Ancelot était à sept heures et demie dans un restaurant du boulevard de Courcelles. Bernard était arrivé le premier. Il y avait en lui quelque chose de changé. Dans ses yeux brillait la douceur d'une promesse de bonheur qu'il s'était faite à lui-même. Chauvieux en fut choqué. Il prit plaisir à reculer le moment des confidences. Qu'est-ce que vous pensez de la situation? Au rôti, on parlait encore de Jouhaux. Mais Bernard n'avait point d'impatience. Il était heureux et, pour parler de Jouhaux, sa voix trouvait des inflexions presque câlines.

— Si nous parlions des affaires importantes? dit enfin Chauvieux.

— Volontiers, répondit Bernard. Je vous ai demandé ce rendez-vous parce que je souhaitais vous parler de Micheline et de moi-même. Je n'ai pas oublié notre première conversation, j'y ai beaucoup pensé et j'ai fini par me rendre compte que vous aviez entièrement raison. Mes scrupules me paraissent aujourd'hui absolument ridicules et injustifiés et je suis heureux de vous dire qu'il n'en reste rien.

Voyant l'étonnement de Chauvieux, il eut un éclat de rire frais et juvénile.

— C'est un revirement inattendu, n'est-ce pas? mais vous allez comprendre. La veille de son départ, Micheline est venue chez moi avec Mme Lasquin. Je n'étais pas là et tout s'est passé aussi mal que possible. Il y avait à la maison deux individus insupportables et même passablement répugnants dont la présence a dû sembler pour le moins étrange à Mme Lasquin et à Micheline. Il est vrai que ces deux grotesques pantins étaient tout à fait dans le ton de ce petit divertissement, car ma mère et mes sœurs, dans leur répertoire, ont été incomparables et se sont même surpassées. J'en ris aujourd'hui, mais le soir où j'ai appris cette visite, j'étais vraiment désespéré. Et puis, dans les jours qui ont suivi, je me suis senti délivré d'un grand poids. Je n'avais plus cette appréhension d'une rencontre de Micheline avec mes sœurs et ma mère, dont l'idée me gênait comme un casier judiciaire. L'événement tant redouté s'était produit et il me semblait que je venais de faire des aveux difficiles, mais réparateurs. N'ayant plus rien à cacher, j'étais en règle avec ma conscience de prétendant.

— Une conscience bien bourgeoise, fit observer Chauvieux.

— Ne me la reprochez pas, dit Bernard en souriant. On n'épouse pas Micheline Lasquin, des usines Lasquin, avec une conscience d'anarchiste.

Mais Chauvieux semblait voir d'assez mauvais œil que Bernard eût pris la résolution d'épouser sa nièce. Les raisons d'un retour aussi soudain ne lui paraissaient pas moins puériles que les scrupules qui leur avaient fait place. Il n'y voyait pas de quoi modifier son jugement à l'endroit du jeune homme. Cependant, Bernard ne s'embarrassait guère de ses objections et y répondait avec optimisme et enjouement.

— Enfin, dit Chauvieux, vous oubliez un peu trop que Pierre est votre ami. Que diable, l'amitié impose certains devoirs. Du moins, c'est ainsi que moi, je l'entends. On ne prend pas la femme d'un ami sous le simple prétexte qu'on l'aime et qu'on en est aimé. Je ne crois pas être trop sévère, ni tardigrade, en disant qu'une telle conduite est indigne d'un homme. Mais oui, jeune homme, mais oui. Avez-vous seulement jamais réfléchi à ce que pourrait être le chagrin de Pierre Lenoir ? Non, évidemment. C'est pourtant la première chose qui aurait dû vous venir à l'esprit. Ah ! je vous assure que les hommes de mon âge ont un autre sentiment de ce qui est dû à l'amitié. Je parle naturellement des hommes de cœur, des vrais hommes.

Bernard l'écoutait avec bonté en pensant que l'oncle de Micheline était un bien brave homme, mais déjà grisonnant et quelque peu radoteur. Et puisqu'il se montrait récalcitrant, tant pis, on saurait se passer de son approbation pour épouser.

XVI

Allongés dans leurs transatlantiques et le chef abrité des ardeurs du soleil par un même parasol, Mme Lasquin et Johnny devisaient sur la plage du Pyla. Devant eux, à quelque cent mètres, Micheline et Milou, qui venaient de prendre un bain, se séchaient sur le sable au milieu d'un groupe de gisants couleur de terre cuite. Mme Lasquin goûtait dans la compagnie de Johnny un repos d'une qualité particulière. Il n'avait jamais dans le regard cette menace indécise, ni dans la voix cette dureté colonelle, qui s'associent chez la plupart des hommes d'une façon étrangement gênante. Et le sautillement si féminin de sa conversation n'avait pourtant rien de venimeux. Auprès de lui, on éprouvait ce sentiment de sécurité parfaite que procure la compagnie de certains abbés aimables, douillettement optimistes et, pour le terrestre, tournés aux seules joies du bien manger et du bien dormir.

— Je ne vois pas les enfants, dit Mme Lasquin.

— Ils sont là, devant nous, au milieu de tous ces jeunes gens allongés. Je reconnais Évariste à la forme de son corps. C'est tout de même une chose bien singulière, ne trouvez-vous pas, que cette différence qui existe entre les formes de l'homme et celles de la femme.

— Je n'y avais jamais pensé, dit Mme Lasquin, mais c'est bien vrai.

— Regardez toutes ces femmes en costume de bain. Aucune ne ressemble à l'autre. Leurs formes sont incertaines et n'ont rien qui soit vraiment humain. Du moins, il me semble. On pense un peu à des animaux. Voyez cette dame avec le gros ventre et les jambes grêles. Ne dirait-on pas une sarigue ?

— Mais oui ! mais parfaitement ! que c'est drôle !

— D'autres font penser à un ruminant ou à un pélican ou à un cheval de ferme. Vous observerez du reste que le mot croupe ne s'emploie guère que pour les femmes et les animaux. On dit une croupe de femme, comme on dit une croupe de jument. En somme, le corps d'une femme est un peu une transition entre celui de l'homme et celui de l'animal. C'est pourquoi sa vue nous fait toujours éprouver une certaine gêne et presque de la crainte, comme si on se trouvait en face d'une trahison. Au contraire, le corps de l'homme parle nettement. Voyez le torse, les flancs, la courbure des reins, tout ça fixe sans discussion les caractères et les limites de l'espèce. Les fesses de l'homme sont spécifiques. Quand je les regarde, je sais où j'en suis. Ma pensée ne vagabonde pas.

— Évidemment. La pensée ne vagabonde pas.

Mme Lasquin, d'un sourire et d'une inclinaison de tête, répondit au salut d'une dame qui passait dans un groupe de promeneuses.

— C'est cette dame qui nous a déjà salués hier, dit-elle en se tournant vers Johnny. Je me souviens de l'avoir vue à Paris, mais j'ai oublié son nom, si je l'ai jamais su. Ce matin, nous avons échangé quelques mots sur la jetée. Elle m'a même dit qu'elle vous avait connu autrefois. Et j'ai appris par elle que vous avez été un pédéraste très en vue.

— Mon Dieu, fit modestement Johnny.

Mme Lasquin n'ignorait pas qu'il existe des homosexuels, mais n'ayant eu que très rarement l'occasion d'entendre le mot pédéraste et sans qu'il s'accompagnât jamais d'aucun commentaire explicite, elle se laissait abuser par un fallacieux rapprochement d'étymologies et attribuait à ce terme le sens de coureur à pied.

— Mon gendre est aussi un grand pédéraste, dit-elle, mais depuis qu'il est marié, il ne peut plus courir autant qu'il voudrait.

— Naturellement, soupira Johnny avec compassion.

— C'est dommage. Il a une très bonne technique. J'ai eu l'occasion de le voir à l'œuvre il n'y a pas longtemps. C'était vraiment très intéressant. Quand il s'est rhabillé, il était aussi frais qu'avant de commencer. Mais je pense qu'il aura mis à profit ces quelques semaines de solitude à Paris. Ce n'est pas que notre présence le gêne beaucoup. Micheline et moi, nous pensons qu'il ne peut pas y avoir pour lui de meilleure distraction.

Johnny écoutait Mme Lasquin avec émerveillement et songeait : « Quelle famille délicieuse. » L'arrivée de Micheline et de Milou fit dévier la conversation. Mme Lasquin s'informa auprès du jeune homme si ses travaux littéraires avançaient.

— Je vous remercie, je suis assez content. Ça vient bien. Dans le chapitre que je suis en train d'écrire, il y a un de ces réalismes poétiques! comme dynamisme, c'est formidable.

— Évariste est étonnant, dit Johnny. Il travaille avec une assiduité et une discipline qui font mon admiration. Depuis que nous sommes ici, il a déjà écrit presque un tiers de son livre. Si M. Pontdebois vient passer quelques jours chez vous et si vous croyez qu'Évariste puisse lui soumettre son travail sans trop l'importuner, il aura déjà de quoi se former une opinion.

— Je ne suis pas sûre qu'il vienne, répondit Mme Lasquin. Je crois qu'étant donné les événements, il se résoudra difficilement à quitter Paris. Il a besoin d'être là-bas pour s'informer et mettre son influence au service du pays. Son rôle est très important. Mgr Pourpier me le disait encore quelques jours avant notre départ : « Luc Pontdebois s'est assigné une grande et noble mission, celle de défendre les valeurs universelles. » Et il les défend, vous pouvez en être sûr. C'est d'ailleurs certainement pourquoi on lui a donné la cravate de commandeur.

— Une distinction bien méritée, dit Johnny. En lisant la nouvelle dans les journaux, nous avons été bien heureux. Évariste ne se tenait pas de joie.

— C'est bien vrai, confirma Milou. J'étais content comme tout. J'aime tellement ce qu'il fait, n'est-ce pas. C'est qu'il a un dynamisme !

— Oh ! oui, dit Mme Lasquin. Et voyez comme c'est curieux, Luc ne s'attendait pas du tout à recevoir la cravate. En réponse à ma lettre de félicitations, il m'a écrit textuellement : « Ma surprise n'a pas été moins grande que la vôtre en apprenant que j'étais compris dans la promotion du 14 juillet. » Quel garçon original !

Micheline s'était allongée sur le sable à côté du transatlantique de sa mère et ne se mêlait pas à la conversation. Ceux des passants, hommes ou femmes, qui ralentissaient leur marche pour admirer son corps bronzé, étaient frappés par la tristesse de son visage. Depuis quelques jours, Micheline portait ce masque d'absence et de mélancolie glacée, comme si elle eût été en proie à une incroyable vision d'elle-même, s'imposant constamment à son esprit. Son regard ne semblait pas voir les objets auxquels il s'arrêtait, mais parfois ses yeux fixes s'agrandissaient soudain, comme si ces objets, en se révélant à elle dans leur simple réalité, devenaient des témoins effrayants. Elle fuyait la société des jeunes gens qu'elle avait connus l'année précédente. Seul, Milou avait le privilège de lui tenir compagnie sur la plage, mais elle ne lui adressait guère la parole et lui répondait d'une manière brève en évitant de le regarder.

— Mon Dieu, il est déjà six heures, dit Johnny. Évariste, mon cher enfant, il est temps d'aller travailler.

Entre six et sept, Milou et son protecteur relisaient leur travail de la matinée et préparaient la besogne du lendemain.

Contrairement à ce que Johnny avait pu craindre, le jeune écrivain ne boudait pas à la tâche. Il était encore très loin de s'y passionner, mais ces vacances à la mer lui semblaient si ennuyeuses et les après-midi si longs et si bêtes qu'il eût accepté de faire des pages d'écriture pour tromper le temps. Ce besoin des gens riches de venir bâiller pendant des semaines dans ces espaces inhumains, était pour lui incompréhensible. Durant les heures interminables qu'il passait en compagnie de Micheline, tous deux allongés sur le sable au soleil, il songeait avec nostalgie au mouvement des boulevards parisiens, aux cafés, aux filles, et même à sa banlieue natale où le regard ne risquait jamais de rencontrer de vastes espaces nus et calmes. Mais la certitude de ne pas perdre son temps le consolait de son exil.

— A ce soir ? dit-il en prenant congé de Micheline.

— Mais oui, dit Mme Lasquin, venez la chercher, Évariste. Cette petite promenade d'après-dîner lui fait beaucoup de bien. Je suis sûre qu'elle dort mieux.

Après le départ des deux hommes, Micheline prit la place de Johnny dans le transatlantique. Sa mère l'entretint d'une violente querelle qui s'était élevée à la cuisine entre les domestiques pendant le déjeuner. La cuisinière s'était emportée contre le chauffeur et la femme de chambre jusqu'à les traiter respectivement de cochon galeux et de petite pouffiasse. Mme Lasquin en parlait avec un peu d'envie et le regret inavoué que la tragédie restât toujours confinée à la cuisine. Cependant, une légère rumeur courait sur la plage. On se montrait une grande vedette de cinéma, qui promenait son quatrième mari, fraîchement épousé. Ce fut à ce moment que Pierre Lenoir apparut soudain devant les transatlantiques. Mme Lasquin s'écria : par exemple, quelle bonne surprise. Micheline fit l'effort d'un sourire et se leva pour l'embrasser.

— J'arrive en voiture, dit-il, et comme je ne savais pas à quelle heure j'arriverais, je n'ai pas envoyé de télégramme. Du reste, ce matin encore à neuf heures, je ne savais pas que je viendrais. C'est en arrivant au bureau que mon frère m'a donné la permission de partir. Je crois que c'est grâce à ton oncle. Il venait de lui parler.

— J'espère que vous allez rester longtemps ?

— Je repars demain après-midi. Il faut que lundi matin, à neuf heures, je sois au bureau.

Pierre raconta son voyage, quatre-vingts de moyenne, sandwichs à Tours et à Poitiers, crevaison à Barbezieux, une circulation folle, des touristes à la queue leu leu, de la grand sport et de la familiale, et des bécanes, des tandems, des trottinettes, sans compter les camions et les camionnettes par trains de dix et vingt, et les moissons qui dodelinent sur le milieu de la route, et les chiens, les poules, les canards, du bœuf et de la vache par troupeaux, et les enterrements. Les motos aussi, j'oubliais, beaucoup de motos. Et les gens ne sont pas raisonnables, au moment où je me préparais à doubler, il en vient deux par-derrière, trois par-devant, une de chaque côté, une autre qui sort d'un soupirail et une locomobile qui montait le remblai. C'était délicat. J'accélère à fond, j'embraye, je braye, je débraye, je vire au frein, je bloque, je lâche tout et je passe de justesse. Il y a eu deux ou trois blessés ; dans la foule, on n'a pas bien vu, mais j'étais dans mon droit, tout le monde l'a reconnu.

Il donna ensuite des nouvelles de Paris. Rien de nouveau. La révolution allait toujours son petit tran-tran. Tout le monde paraissait content. Le cousin Pontdebois défendait les valeurs universelles. Dans un très bel article qu'il venait d'écrire sur la question espagnole, il formait des vœux pour le triomphe du Frente Popular et pour celui des insurgés, rêvant d'une vaste symphonie où se fondraient le social et le divin. Pierre ne l'avait pas lu, mais l'article avait eu un retentissement profond parmi les élites. Il en avait beaucoup entendu parler chez les Ancelot où il dînait avant-hier jeudi. Cette symphonie, disaient les jeunes filles, c'était d'une grandeur, d'une beauté, d'un ésotérisme, d'un théogonisme inouïs. Elles sont d'ailleurs très emballées pour les rouges. Mme Ancelot parle de s'engager dans un bataillon de femmes, elle voudrait être mitrailleur, à cause du dynamisme. Son mari n'y voit pas d'inconvénient, au contraire. Bernard ? mon Dieu, je l'ai trouvé un peu, oui, un peu bizarre. Il paraissait presque contrarié, tout au moins gêné de ma présence. Peut-être pense-t-il que nous lui en voulons d'avoir cessé les parties de tennis. En tout cas, j'ai eu l'impression qu'on m'avait invité sans le consulter ou en lui forçant la main. C'est sa sœur Mariette qui m'avait téléphoné. Mariette est la plus jeune des trois sœurs. Tiens, elle m'a parlé d'un jeune écrivain que vous aviez rencontré chez elle et qui vous a retrouvées ici. Oui, Évariste. En effet, je me souviens, vous m'en avez parlé dans une de vos lettres. A propos d'écrivain, Luc Pontdebois pense pouvoir venir à la fin de la semaine prochaine passer ici deux ou trois jours, malgré son horreur de la mer.

Pierre parla aussi de l'oncle Chauvieux, mais très vite, et crut devoir passer sous silence le dernier repas qu'ils avaient pris ensemble, un soir de cette semaine, dans un restaurant du boulevard de Courcelles. Le dîner commençait à peine qu'une jeune et, mon Dieu, jolie femme venait s'asseoir à leur table. Et tout en mangeant, regardait l'oncle avec des yeux sucrés, la narine battante et la bouche en fleur. Et lui, l'oncle, pas du tout gêné de la présence de son neveu, il l'appelait chérie, canard et primevère, et il l'enveloppait d'un regard également sirupeux. Ridicule, ce pauvre homme, tout à fait ridicule. Et le repas expédié, ils avaient planté Pierre devant le restaurant en lui riant au nez assez bêtement et s'étaient éloignés vers la rue de Phalsbourg, comme des gens ivres. Ce pauvre oncle Chauvieux était assurément un excellent homme, mais il n'avait jamais été très sportif.

— Mais je ne vois pas Roger.

— Il joue avec des camarades, dit Mme Lasquin. C'est bien simple, on ne le voit plus qu'aux repas et encore, il trouve moyen de les écourter. Le soir, je n'arrive pas à le faire coucher. Hier après dîner, à dix heures du soir, il jouait encore dans le garage avec des petits voisins. Ils étaient tous enfermés dans la voiture.

Pierre s'inquiéta. Que faisaient-ils dans la voiture ? Étaient-ils bruyants ou silencieux ? Qui étaient les enfants qui se trouvaient avec lui ? Les Rosenberg et leurs cousins Bloch ? Mauvais, pensa-t-il. Très antisportif de tempérament, le Juif. Par conséquent très curieux des choses sexuelles. On s'enferme dans une voiture, il fait nuit, on se tripote entre garçons et filles, on y prend plaisir et quatre ou cinq ans plus tard, au lieu du bel athlète qu'on aurait pu être, on n'est déjà plus qu'un pauvre petit jeune homme aimant la compagnie des jolies femmes, la lecture, la musique et autres frissons.

— Maman, je crois que vous feriez bien de surveiller Roger un peu plus et même de ne pas le laisser jouer après dîner. Pourquoi ? mais parce que ce n'est pas sans danger. Êtes-vous sûre de ce qu'ils faisaient dans cette voiture, en pleine nuit ? Il y avait des garçons et des filles. Ce n'est peut-être pas par hasard qu'ils avaient choisi une obscurité propice.

— Pierre ! comment pouvez-vous ? mais Roger est un enfant, voyons, un enfant qui ne pense qu'à jouer. Pierre !

Mme Lasquin le regardait avec effroi et sentait renaître toute son hostilité à l'égard du dangereux individu dont l'absence lui avait fait oublier les tristes exploits. Son gendre était bien toujours le même satyre qu'elle avait démasqué rue Spontini, l'esprit tourné sans cesse à des imaginations révoltantes. Le regard de sa belle-mère était un rappel menaçant et au souvenir de sa faute, Pierre se troubla et rougit. Chacun revenait à ses positions d'avant les vacances.

La villa était une belle construction de style basque, élevée au milieu des pins et regardant la mer. Pierre y venant pour la première fois, Mme Lasquin la lui fit visiter. Ce rôle de gracieuse hôtesse lui imposait d'oublier un temps ses griefs, mais en arrivant à la chambre de Micheline, son visage devint sévère.

— Comme rien ne faisait prévoir que vous viendriez, on ne vous a pas fait de chambre à part, mais je peux donner des ordres.

— Ce n'est pas la peine, dit Pierre.

— Après tout, rien ne paraîtrait plus naturel, puisque vous faites chambre à part à Paris.

— Faites comme vous voudrez, maman.

— Écoutez, Pierre, si vous voulez me jurer...

— Je vous dis, maman, faites comme vous voudrez.

Il n'avait pas voulu jurer. Il ne renonçait pas à ses mauvaises pensées. Le dîner devait se ressentir de cet incident. Pierre y retrouva l'atmosphère des plus mauvais jours de la rue Spontini, avec cette aggravation qu'il était là comme un étranger qui s'est conduit grossièrement envers des hôtes généreux. Il y avait aussi cet étrange mutisme de Micheline et, qui se posait parfois sur lui, ce regard absent, incurieux, comme si elle ne le connaissait plus pour son mari, ni pour quoi que ce fût. Au sortir de table, lorsque Roger déclara qu'il allait retrouver les jeunes Rosenberg et Bloch pour jouer dans le garage, Mme Lasquin lui dit : va mon chéri, joue bien, et d'un sûr et tranquille regard, elle écrasa les pensées révoltantes qui germaient dans la tête de son gendre.

Ignorant l'arrivée de Pierre Lenoir, Milou vint comme à l'ordinaire chercher Micheline pour une courte promenade. Comme il manifestait avec une indiscrète discrétion le désir de se retirer, Mme Lasquin les pressa de sortir tous les trois, ce qu'ils firent. En quittant la villa, ils marchèrent un instant au bord de la plage. Il faisait grand clair de lune et la mer était au plus bas, découvrant de longues étendues claires d'un sable ferme, tassé par l'humidité. Milou observa que la présence de son mari ne rendait pas Micheline plus loquace. Les trois compagnons allaient silencieux et ne faisaient point d'effort pour accrocher une conversation dont la quiétude de l'heure semblait les dispenser.

— Quel beau sable, dit soudain Pierre Lenoir. Il paraît souple comme une piste. J'ai bien envie de l'essayer. Vous m'excusez ? Je n'ai pas souvent l'occasion de courir.

— Mais oui, bien sûr, dit Milou.

— Je vais faire un quinze cents mètres approximatif, sans pousser l'allure, simplement pour me détendre. Vous me prendrez en repassant.

Tandis qu'il se dirigeait vers les sables, ses compagnons poursuivaient leur chemin. Micheline, les traits tirés par une soudaine impatience, avait pris le bras de Milou et pressait le garçon d'une voix anxieuse, implorante : « Vite, plus vite. » Dans sa hâte, il lui semblait que la route fût interminable et parfois, elle se mettait à courir quelques pas, sans souci des promeneurs qui pouvaient la reconnaître à la clarté de la lune. En moins de cinq minutes, ils arrivaient au bar qui était le but de leur promenade de chaque soir. Devant la porte, elle lâcha le bras de son compagnon pour y être plus vite. Le bar était une petite salle étroite aux murs revêtus de lames de bois vernis, et ornés de faux hublots, de câbles, de bouées de sauvetage. Le barman avait une casquette blanche de marin et le piqueupe dévidait en sourdine une chanson de mer. Il n'y avait encore que peu de monde, l'heure n'étant pas assez avancée. Sur son tabouret, Micheline, les narines pincées par l'attente, suivait d'un regard aigu les gestes du barman qui préparait les boissons. Elle s'était assise sans précaution et sa jupe de flanelle blanche découvrait l'une de ses jambes jusqu'à la cuisse. Lorsque le barman déposa les deux coquetèles sur le zinc, elle saisit le sien d'une main que l'impatience rendait maladroite et en répandit quelques gouttes.

A mesure qu'elle buvait, son visage se détendait, ses yeux avaient un éclat plus doux. En reposant son verre vide, elle se tourna vers Milou et, n'ayant rien à lui dire encore, lui sourit avec une sorte d'indulgence. Une seconde, elle ferma les yeux pour mieux goûter une certaine disposition au bonheur qu'elle sentait déjà naître en elle. Le barman servit deux autres coquetèles. Cette fois, elle but plus lentement, savourant les gorgées. Une chaleur légère lui montait aux joues, mais elle n'éprouvait plus cette lourdeur de tête qui gâtait un peu son plaisir les premiers jours qu'elle venait au bar.

— Que les journées sont longues, Évariste, et si longues pour contenir si peu de chose. C'est drôle, n'est-ce pas ? Drôle de loin, par-dessus l'épaule, mais drôle tout de même.

Elle eut un rire léger, heureux, et Milou rit avec elle. Il n'avait fait que tremper ses lèvres dans son deuxième coquetèle, car il craignait de compromettre sa santé. Le verre de Micheline étant vide, il lui substitua le sien qui restait plein aux trois quarts. Cet échange était déjà une habitude, sur laquelle comptait la jeune femme.

— Vous êtes charmant, Évariste. Dites au barman de mettre *Haï-Tena* au piqueupe. Je voudrais partir sur l'air de *Haï-Tena*.

Elle sortit au bras de Milou en fredonnant l'air de *Haï-Tena*, la tête renversée en arrière, le regard aux étoiles. Comme chaque soir, elle entra presque sans le savoir dans un petit bois de pins et, s'allongeant sur le sable tapissé d'aiguilles de pin, serra Milou sur son corps et se mit à divaguer.

Pierre Lenoir courait sous la lune lorsque les deux jeunes gens arrivèrent à la plage.

— La piste est un peu décevante, dit-il en les rejoignant. A l'œil, le sable paraît très ferme, mais en réalité, il cède un peu à la foulée. C'est du reste moins gênant que pour un cent mètres ou même un quatre cents. Avec de la bonne volonté, on peut croire qu'on court sur un terrain lourd, simplement. Je suis content tout de même. Demain matin, je compte me lever tôt pour faire encore un essai.

En arrivant à la villa, ils trouvèrent Mme Lasquin qui achevait de confesser la cuisinière. A l'heure du coucher, elle prit le bras de Pierre avec autorité et le conduisit à la chambre qu'elle avait fait préparer à son intention. Il ne songea pas à récriminer, l'esprit d'ailleurs occupé d'observations curieuses sur la résistance variable du sol à la foulée du coureur.

Micheline monta seule à sa chambre et resta longtemps à la fenêtre, la pensée vague et la chair encore heureuse. Lorsque son bonheur se fut écoulé avec la chaleur de l'alcool, elle relut la lettre de Bernard, à laquelle il ne lui semblait pas pouvoir répondre et se coucha en pleurant. Ces larmes versées sur elle-même étaient, depuis une semaine, sa dernière joie de la journée.

Ainsi qu'il l'avait promis à Pierre, Pontdebois arriva vers la fin de la semaine suivante et demeura deux jours. Il venait de Paris avec des nouvelles très intéressantes sur la situation politique et l'état des esprits, mais avec ces Lasquin, qui avaient l'entendement un peu court, il n'était pas possible d'en parler d'une façon à se faire admirer. Il eut la bonne surprise de faire la connaissance de Johnny qui était homme à l'apprécier. Milou lui fut présenté et sut lui dire adroitement :

— Maître, je suis bien content de vous connaître. J'aime tellement vos livres, n'est-ce pas. Comme poésie, comme dynamisme, c'est formidable.

Le soir, parlant à Mme Lasquin et à Micheline du jeune écrivain, Pontdebois déclarait :

— Cet Évariste Milou me paraît un garçon très fin, très intelligent. J'aime ces façons un peu rudes d'une jeunesse peut-être trop affirmative, mais si compréhensive, si ouverte aux choses de l'esprit.

Mme Lasquin n'aurait su dire, après son départ, s'il était revenu sur ce premier jugement, car, ayant lu la première moitié du manuscrit intitulé *Le Fossoyeur*, que Milou venait de lui soumettre, il avait fait cette réflexion ambiguë :

— C'est plat, inepte, vulgaire et ennuyeux au possible. Mais littérairement, c'est une chose très curieuse, très forte, très belle.

XVII

La grande salle du *Moulin de la Galette* était pleine. Bernard était assis dans la dernière rangée des chaises et, derrière lui, de nouveaux arrivants se tenaient debout. Des jeunes gens en habits du dimanche et portant brassard, s'affairaient dans les allées avec des mines excitées et candides de boute-en-train de patronage et multipliaient les occasions de s'appeler « camarade », la voix toute vibrante d'une joire pure et honnête qui blessait la sensibilité du public, composé en majeure partie d'ouvriers de Montmartre. A l'autre bout de la salle, sur l'estrade, derrière la carafe et le verre d'eau, les tribuns étaient assis en demi-cercle et repassaient leurs rôles mentalement. Il n'y avait parmi eux aucune vedette du Front Populaire. La plupart étaient des professionnels, députés, anciens députés, conseillers ou secrétaires de quelque chose, quadra et quinquagénaires, caressant de petits espoirs à court terme, et qui s'acquittaient ce soir des charges de leur métier, sans exaltation ni appréhension. Bernard était venu à la réunion sans la moindre curiosité. L'après-midi, à son bureau, il en avait entendu parler par un de ses collègues et le soir, à l'heure où il redoutait la solitude et la société des siens, il était monté au *Moultn de la Galette* comme il fût allé au cinéma, pour y oublier sa lassitude et sa violence.

Les orateurs se succédaient à la tribune. Socialistes, cégétistes, communistes s'alignaient benoîtement sur le radical, et le ton des discours, aussi peu révolutionnaire que possible, était presque celui d'un débat sur la laïcité ou sur l'enseignement du latin. Languissant, le public avait des égards pour ces gens qui s'étaient dérangés, et les applaudissements, courtois, éclataient chaque fois que l'orateur, d'un silence, les réclamait. De temps à autre, l'éloquence se haussait à une certaine véhémence douceâtre d'union sacrée. C'était la minute de l'Espagne. Un frisson fraternel et guerrier passait dans la salle qui, mieux enlevée, eût réclamé des canons. Mais ces tribuns au cœur engraissé n'avaient pas la manière.

De toutes ses forces, Bernard essayait de s'intéresser à ces discours, mais le fil lui échappait à chaque instant et il revenait aux images qui le hantaient depuis quelques jours. Dimanche matin, Mariette lui avait tout dit. Sans intention apparente, l'air absent et la voix unie, comme on se confie à un meuble ou à un animal, elle lui avait conté comment, dans une chambre d'hôtel, Milou l'avait réduite à sa volonté, comment, au bord de la mer, il avait régulièrement alcoolisé Micheline pour arriver à ses fins et comment il la rencontrait maintenant dans une garçonnière louée à l'heure, près de l'avenue de Wagram. Le cochon s'en était vanté auprès de Mariette en ajoutant : « Je ne veux pas me surmener en ce moment, mais quand je serai marié avec elle, on se reverra. T'as un petit corps coquin qui me plairait presque mieux que le sien. » Mais tous les détails n'étaient rien auprès de la catastrophe essentielle : Micheline souillée par ce voyou, par cette sale petite bête tortueuse et volontaire. Depuis dimanche, Bernard était résolu à tuer. « Je le tuerai », avait-il dit à Mariette qui s'était contentée de hausser les épaules sans paraître faire aucun cas de cette résolution, comme si c'eût été propos de bon jeune homme irrité. Il n'avait pourtant pas cessé d'y penser. Il y rêvait encore dans cette salle du Moulin de la

Galette où il lui arrivait, par instants, d'être parfaitement seul. Il commençait même à s'inquiéter de ce qu'une volonté aussi totale et aussi absorbante ne fût pas encore engagée dans la voie des réalisations pratiques. Un garçon bourgeoisement éduqué est très mal préparé au crime et c'est miracle qu'il arrive déjà à en concevoir la nécessité. Bernard ne savait pas du tout comment s'y prendre. Le meurtre par balle lui répugnait, trop abstrait. Tuer à coups de revolver, c'est un peu comme de tuer par la pensée. On n'y est pas réellement et la victime non plus. Ces gens du milieu qui règlent leurs comptes à coups de feu sont d'assez misérables gâcheurs. Quand le désir d'une vengeance vous étreint, on ne l'apaise pas si vite. Il faut sentir palpiter la bête et disposer un peu de son agonie.

Après le premier discours, les suivants semblaient n'être plus que des moutures et le public ne s'échauffait pas. L'atmosphère de la salle était à peu près celle d'une église à l'heure du prêche. Les jeunes commissaires à brassard désespéraient de voir surgir un incident qui eût été pour eux l'occasion de montrer leur zèle et la force de leurs biceps. Devant lui, sur la droite, Bernard remarqua un homme dont la physionomie lui était connue. Il se souvint de l'avoir rencontré un soir près de la gare Saint-Lazare en compagnie de l'oncle Chauvieux qui les avait présentés l'un à l'autre. Un nom comme Malubier ou Marinier. Ou plutôt Malinier. L'homme paraissait très excité. Non seulement il levait le poing et applaudissait à chaque fois qu'il le fallait, mais son visage enflammé, son regard ardent, certains gestes nerveux trahissaient une grande agitation intérieure que n'expliquait guère la modération des orateurs et qui piquait la curiosité de ses voisins. Bernard l'oublia et revint à son meurtre. Le couteau, même sous le nom de poignard, lui semblait un outil ignoble et le poison, pourtant plus propre, ne lui faisait pas moins horreur. L'idéal eût été d'avoir un spadassin qui exécutât la besogne devant lui, mais le métier de tueur à gages s'est à peu près perdu, du moins à l'usage du vulgaire. Bernard considérait sa faiblesse avec dégoût. Il se jugea trop pauvre pour nourrir longtemps de fortes passions et l'idée lui vint qu'il était peut-être de ces gens qu'une grande douleur ou une grande haine réduit au suicide ou à la mort lente. Un incident comique le tira brusquement de cette méditation. Profitant d'un temps de respiration de l'orateur, Malinier s'était dressé, la face congestionnée, et s'écriait d'une voix forte, frémissante, et que semblait altérer une étrange passion : « Et la France, alors, qu'est-ce qu'elle devient, la France ? » Tous les regards s'étaient tournés vers lui et le public se mit à rire gaiement, du reste sans hostilité. On le trouvait simplement cornichon, cucul la rainette, ratapoil et rantanplan. Patriote, quoi. Et c'est vrai qu'il avait l'air bête, le pauvre garçon, et tellement vieillot et de si loin venu qu'on avait quand même un peu compassion. Est-ce qu'il allait se mettre à pleurer ? on l'aurait cru à entendre cette voix violente et cassée qui lui sortait du fond, à voir cette gueule de bon forcené sans malice. Les commissaires s'étaient approchés, tout frémissants d'impatience, et le regardaient avec une férocité juvénile, mais l'orateur se chargea de lui régler son compte en se taillant un joli succès : « La France ! elle vous regarde avec toute l'indulgence dont vous avez besoin, mais n'en abusez pas. » Malinier, pourpre et stupide, retomba sur sa chaise et la France se mit à rigoler de bon cœur, l'œil humide et le ventre heureux. Bernard lui-même, oubliant ses sinistres desseins, passa un joyeux moment. On croyait l'affaire réglée et déjà l'orateur revenait à ses moutons. Mais pour la seconde fois, Malinier se dressa comme un ressort et se mit à rugir : « Bande de cons ! bande de cons ! » Alors se déroula une de ces scènes courtes et violentes qui transportent une salle et fixent les opinions politiques. Malinier fut happé par les commissaires et, les fesses bottées au vol, disparut dans une grande clameur. Cette expulsion vigoureuse modifia heureusement l'atmosphère. Le public tenait la certitude réconfortante de s'être dérangé pour quelque chose et il semblait même que les tribuns eussent un peu de génie.

La sortie s'effectua lentement. Le public, en quittant la salle, se massait sur les trottoirs de la rue Lepic dans l'espoir insensé de quelque bagarre. Des escouades d'agents travaillaient à dégager la sortie, mais sans brutalité. La police avec nous, scandaient les jeunes gens à brassard. Des ouvriers ricanaient, disaient : pourquoi pas, pendant qu'on y est. Rien de tout cela n'était très prometteur. Bernard ne s'attardait à la sortie que pour reculer l'instant d'être seul et de se reposer l'insoluble problème de tuer sans salir ses mains ni sa conscience. Pris dans la foule, il aperçut en face de lui, de l'autre côté du passage ménagé par la police, l'oncle Chauvieux qui semblait surveiller la sortie. Sans doute cherchait-il son ami Malinier. Bernard eut l'intention de le rejoindre, mais le perdit de vue avant d'avoir pu se dégager de la presse. Bientôt la foule commença à se disperser. Les jeunes porte-brassards collaient aux gardiens de la paix en criant la police avec nous, très ensemble et heureux de faire plaisir. Un brigadier, agacé, leur dit rudement : Ça va bien, vous faites pas mal aux cordes. Ils lui firent une ovation, faillirent le porter en triomphe et, rabroués, descendirent la rue Lepic en s'égosillant. La police avec nous.

Après avoir flâné parmi les derniers groupes, Bernard monta à la place du Tertre depuis longtemps déserte à cette heure de septembre. Par l'échappée de la rue du Calvaire, il s'attarda un moment à faire un coup de Paris la nuit à vol de hibou. La ville était très bien éclairée. Le jeune homme se laissa aller à rêver qu'il était le sultan d'une principauté indienne. Micheline était sa belle sultane et Milou son grand eunuque, marié par ses soins à une jolie fille. Celle-ci, toujours par ses soins, mettait chaque année un enfant au monde et le sultan n'en finissait pas de complimenter son grand eunuque qui avait une mauvaise lueur dans l'œil.

Il était à peu près minuit lorsque Bernard, guidé par le désir de jeter un coup d'œil à la demeure de son rival, arriva au bas de la rue Norvins. L'endroit était désert. Les gardes mobiles qui stationnaient tout à l'heure sur le trottoir de l'avenue Junot, derrière le Moulin de la Galette, étaient partis dès après la réunion. Un vent d'automne, humide et quinteux, soulevait des feuilles mortes sur la chaussée. Au carrefour, Bernard hésita une seconde, le temps d'apprécier le ridicule de cette expédition si parfaitement inoffensive. Comme il s'engageait dans la rue Girardon, il vit à l'autre bout surgir une silhouette d'homme qui disparut presque aussitôt par l'escalier descendant à la place Constantin-Pecqueur. De taille moyenne, les épaules larges, la démarche souple, l'inconnu, ainsi vu de dos et à distance, semblait être assez jeune. Quoique distrait, Bernard observa qu'il marchait la tête baissée et les épaules remontées, comme s'il eût tenté d'allumer une cigarette dans le vent. En approchant de l'endroit où l'homme s'était détaché de la pénombre, il distingua un tas de matériaux de construction débordant du trottoir jusque sur la chaussée. Dressées contre un mur, de longues planches faisaient ombre sur une pyramide de briques, au flanc de laquelle était renversée une brouette.

Bernard s'arrêta près du tas de briques pour jeter un coup d'œil dans la rue Simon-Dereure qui s'ouvrait à quelques pas de là. Mariette lui avait expliqué comment trouver la maison de Johnny, mais il s'y reconnaissait mal et doutait maintenant d'avoir pris la rue par le bon bout. Il se disposait à rebrousser chemin lorsque son attention fut attirée par un objet brillant sur le trottoir entre deux briques. Ce n'était qu'un morceau de fer-blanc, mais s'étant penché pour s'en assurer, il aperçut un peu plus loin, derrière la roue de la brouette, le pied d'un homme, chaussé de cuir jaune, et cette première découverte en amena une autre, celle d'une forme humaine, immobile, que lui avait jusqu'alors dissimulée la brouette. Le corps était couché, une jambe allongée, l'autre pliée sur le ventre, les mains crispées sur la poitrine, et la tête calée dans l'angle que formait le mur avec le tas de briques. S'étant habitué à la pénombre, Bernard, tremblant d'horreur et de pitié, reconnut le visage de Milou. Le malheureux tirait la langue et ses yeux exorbités restaient grands ouverts. Bernard crut entendre des pas derrière lui et, en se retournant, fit s'écrouler quelques briques. Au bruit, il perdit la tête et, prenant sa course, s'élança dans l'escalier qu'avait pris le meurtrier quelques minutes plus tôt. Il eut pourtant la présence d'esprit de se mettre au pas en arrivant dans la rue Caulaincourt où il croisa quelques passants. La pluie se mit à tomber, une pluie froide rabattue par le vent et qui peuplait la nuit de visions sinistres. L'idée ne lui vint pas qu'il eût à se réjouir de la mort du monstre. Il ne pensait pas du tout à son grand amour. Les jarrets mous et claquant des dents, il imaginait l'agonie du misérable étouffant sous l'étreinte de son agresseur. Avant de mourir, il avait dû faire des efforts désespérés pour arracher les deux mains nouées sur sa gorge et aspirer un peu du vent froid qui passait au-dessus de lui en courtes rafales. Involontairement, Bernard suspendait sa respiration et portait la main à son faux col. Il avait hâte d'être chez lui, mais il craignait, en prenant un taxi, de laisser un témoignage de sa présence, à une heure suspecte, dans ce coin de Montmartre. A la réflexion, il lui apparut qu'il s'était mis dans une situation dangereuse. En cas de nécessité, il lui serait difficile d'expliquer pourquoi, ayant découvert le cadavre, il n'avait pas informé la police. Pris de panique, il regagna son domicile par des rues détournées en évitant les avenues et les carrefours où stationnaient des agents.

Mme Ancelot et ses filles venaient de rentrer du cinéma où elles avaient vu un film formidable. Ayant fait leur toilette de nuit, elles éprouvaient le besoin d'en parler encore avant de se séparer et, réunies en pyjama dans la salle à manger, se rappelaient les passages les plus remarquables, tout en sirotant un alcool. Les mains dans les poches de sa veste, l'air goguenard et le ventre voyou, Mme Ancelot lançait par-dessus son épaule une réplique qui restait à jamais gravée dans sa mémoire : « Je m'annonce. Un coup de pied en vache. Voilà, c'est moi. »

— Il a un sex-appeal étonnant. Et cette façon qu'il a de regarder par moments, en touchant sa petite moustache avec le bout du doigt. Inouï. Je ne vois vraiment que les Américains pour avoir autant de sex-appeal. Et encore. Lui, c'est plus direct. On est prise tout de suite.

Mme Ancelot avait encore à dire, mais elle resta bouche bée en voyant son fils entrer dans la salle à manger. Livide, les yeux hagards, la tête affaissée et l'eau dégoulinant de son chapeau sur son imperméable trempé, il semblait prêt à s'effondrer. Mariette pensa en le voyant : « Ça y est. »

— Qu'est-ce que tu as ? demanda Mme Ancelot. Comme tu es pâle ! mais tu es malade ?

Il secouait la tête sans parler, le visage stupide. Germaine et Lili le débarrassèrent de son chapeau et de son manteau. Il se laissait faire, le corps inerte, les bras mous. Ayant absorbé coup sur coup deux verres d'alcool, son teint se colora et ses traits s'animèrent. Il promena autour de lui un regard peureux, voulut parler et soudain fondit en larmes. Sa mère et ses sœurs s'empressaient, lui prenaient les mains, l'embrassaient, le baisaient, lui disaient : « Voyons, Bernard, ne pleure plus, dis-nous ce que tu as. » Il ne voulait ni ne pouvait, gêné par les sanglots. M. Ancelot qui écrivait des lettres dans sa chambre avait entendu rentrer son fils. Il vint s'enquérir de sa soirée et, le voyant en larmes, il se jeta sur ses femmes pour les dévorer, en gueulant que c'était toujours la même chose, que ça continuait, qu'on s'ingéniait à lui faire mourir son garçon, mais que ça allait pourtant finir. A la porte, il les flanquait toutes à la porte de chez lui, c'était chose faite. Et aussi, il leur interdisait de mettre désormais le nez dehors sauf une demi-heure le matin, par hygiène. Et pas un sou, pas un rotin, pas un centime. Mme Ancelot ripostait avec tant d'aigreur et d'insolence qu'il faillit lui passer une chaise au travers du corps. Tout à sa colère, il ne s'aperçut même pas du départ de son fils que Mariette conduisit à sa chambre.

Bernard se sentait mieux. Les vociférations paternelles faisaient un vacarme rassurant qui semblait devoir conjurer tous les périls. Mariette regardait son frère avec anxiété et attendait qu'il fît des confidences, mais il était peu disposé à évoquer sa sinistre découverte et souhaitait plutôt en écarter le souvenir. Lorsqu'ils furent dans sa chambre, elle lui mit les mains aux épaules et lui demanda s'il n'avait rien à lui dire. Il fit signe que non et, l'ayant embrassée, la poussa vers la porte d'un geste affectueux. Mal résignée à ce silence, elle gagna sa chambre où elle passa une nuit agitée à se demander si son frère avait commis un meurtre et ne sachant plus si elle le désirait.

Bernard était couché et il feignit d'être endormi lorsque son père s'approcha de son lit pour s'informer des raisons de son désespoir. M. Ancelot sortit sur la pointe des pieds. Du reste, son fils ne tarda pas à s'endormir réellement d'un sommeil lourd, traversé par des rêves de pluie et de maison branlante, avec la conscience obscure d'un drame oublié qui allait renaître à la fin de la nuit. Le lendemain, il s'éveilla à huit heures et expédia sa toilette en hâte, car il lui fallait être à son bureau à neuf heures. Le souvenir de son aventure lui pesait moins lourdement que la veille et il envisageait maintenant avec lucidité les conséquences qu'elle pouvait entraîner pour lui. A moins de hasards improbables, la police n'avait aucune raison de le soupçonner et, normalement, les enquêteurs devaient l'ignorer. Le nombre même des hasards désobligeants qui pouvaient attirer l'attention sur lui était des plus restreints. Seul, le véritable meurtrier, au moment de s'enfuir, avait pu le voir déboucher de loin dans la rue Girardon. Celui-là aurait évidemment intérêt à aviser la police au moyen d'une lettre anonyme : « Demandez donc au jeune

Ancelot ce qu'il faisait sur le lieu du crime à minuit. » Bernard n'était du reste nullement fondé à croire que l'assassin le connaissait puisque lui-même n'avait pu identifier la silhouette du fugitif. Toutefois, ne se sentant pas très fort de son innocence, il restait oppressé par un sentiment de peur.

Le lendemain matin, donc, il s'éveilla plus tard qu'à l'ordinaire et expédia sa toilette.

Mme Ancelot et ses filles prenaient le petit déjeuner. Il y avait un journal sur la table et on parlait bas. Le père était déjà parti. Mariette avait les traits tirés, les yeux brillants et avalait péniblement sa salive. En entrant dans la salle à manger, Bernard vit le journal et comprit, aux regards et au silence de l'accueil, qu'on était informé. Sans avoir cherché l'effet, il se comporta comme un criminel de mélodrame. Arrêté au milieu de la pièce, il se mit à fixer le journal et sa poitrine se gonfla d'une longue inspiration qui lui rejeta lentement la tête en arrière. Mme Ancelot, très émue, se leva et vint l'embrasser.

— Mon enfant, mon cher petit, quelle chose bouleversante! C'est d'une beauté! d'une grandeur!

— Ce n'est pas moi, protesta Bernard. Je n'y suis pour rien. Ce n'est pas moi.

Mariette vint lui jeter ses bras autour du cou et, la tête sur son épaule, lui demanda pardon en sanglotant. Il se débattait, disait : « Mais non, je vous assure, ce n'est pas moi. » On comprenait d'ailleurs très bien qu'il voulût être prudent.

— Il est magnifique. Il est splendide.

— Il a des latences inouïes.

— La poésie de cette chose-là, le mouvement... une atmosphère irréelle...

Bernard déjeuna très vite, pressé d'échapper à cette admiration. Pendant qu'il avalait son café, Germaine regardait les mains du meurtrier, des mains longues dont la finesse évoquait des supplices raffinés. A haute voix, elle cita un vers de Baudelaire :

... Et qui meurt sans bouger dans d'immenses efforts.

Un frisson passa autour de la table. Bernard revit le visage convulsé de Milou et, en regardant ses propres mains, il eut le cœur transi par un remords soudain. Excédé, il reposa sa tasse à moitié pleine :

— Je fous le camp, dit-il en jetant sa serviette. J'en ai assez.

Un murmure compréhensif et respectueux le suivit jusqu'à la porte. Lorsqu'il fut sorti, Mme Ancelot soupira :

— Je vois un beau film à faire.

— Un sujet en or, approuva Lili. Il faudrait traiter ça dans une lumière floue, je ne sais pas si vous voyez ce que je veux dire. Une espèce d'horreur diffuse. En somme, une chose qui soit surtout d'atmosphère.

— Oui, oui, accorda Germaine avec réticence, mais il ne faut pas non plus noyer la ligne essentielle. Ce qui importe, à mon avis, c'est de bien faire sentir, chez Bernard, l'éveil du primitivisme latent. On verrait la brute se dégager lentement de son être social et retrouver son dynamisme originel en s'évadant du ridiculisme des préjugés et des conventions.

— Oui, c'est une chose qui peut être très belle.

— Je crois qu'il y aurait intérêt à faire de lui un petit-bourgeois rétréci et timoré. Naturellement, sa famille a une grande importance. Par exemple papa... non, papa est bien, lui, ce n'est pas la peine d'y toucher. Pour maman, je verrais assez une petite bonne femme un peu falote.

— Pourquoi falote ? protesta Mme Ancelot.

— Si. Une petite bonne femme toujours effarée, ne comprenant jamais rien et accumulant les gaffes. Je suis sûre que tu donneras quelque chose de drôle. Et maintenant, Mariette. La rajeunir carrément de cinq ou six ans. Petite étudiante. Intelligente. Beaucoup de préjugés. Mais du caractère. Pour le viol, rien à changer.

— On pourrait suggérer la scène par un jeu d'ombres sur le mur, proposa Lili. En travelling, ce serait saisissant.

— Évariste et Mariette luttant, oui, ça peut être bon. Très important, le personnage de Mariette. Au fond, beaucoup plus important que celui de Micheline qui est une très belle fille, riche, élégante, mais plutôt tourte, comme dans la réalité, en somme. C'est Mariette qui fera naître chez son frère l'idée de la vengeance, qui attisera sa haine et son désir de meurtre.

Mariette, qui n'avait pas encore ouvert la bouche depuis que la conversation était au cinéma, eut un geste de dénégation, un grand geste violent et désespéré. Elle voulut parler, mais la voix lui manqua d'abord. La voyant bouleversée, Germaine la prit dans ses bras et s'excusa en lui caressant les joues.

— Chérie, j'ai été stupide, mais n'y pense plus. Ce n'était pas sérieux. Je construisais un personnage. C'était un jeu, un simple jeu...

— Je veux que vous sachiez, dit Mariette d'une voix entrecoupée. Oui, c'est moi qui l'ai poussé. Tout est arrivé par ma faute. C'est moi qui suis coupable. Je n'aurais pas dû lui dire ce que je savais. Mais je ne croyais pas qu'il le tuerait. Je ne l'ai jamais cru. Je vous le jure. Je le croyais si peu que j'ai écrit à Chauvieux, l'oncle de Micheline, pour lui dire la vérité. Je pensais que lui, peut-être...

La bonne entrait pour desservir. Mariette se tut, mais Germaine, dans son désir d'apaiser le remords de sa sœur, laissa échapper une phrase dangereuse, aussi compromettante pour Bernard que pour Chauvieux. L'imprudence était regrettable, car la bonne avait reçu ses huit jours la veille.

XVIII

Élisabeth surveillait avec inquiétude le visage de l'amant et toutefois n'osait pas un geste ou une parole qui pût troubler une rêverie qu'elle croyait dangereuse. Accoudé à la table sur laquelle ils venaient de prendre le thé, et le dos tourné à la fenêtre, Chauvieux regardait devant lui sans penser à rien de précis et ne mûrissait aucune de ces délibérations secrètes qui règlent une situation. Ce qui se passa en lui fut si soudain et si rapide que son visage n'eut pas le temps de l'exprimer. En regardant la commode qui se trouvait en face de lui, une très jolie commode Louis XVI qu'il avait souvent admirée, il éprouva la sensation d'un dépaysement, comme s'il se fût éveillé au milieu d'un décor inconnu, et aussitôt surgit en lui la vision d'une chambre d'hôtel, triste et nue, prenant jour par une fenêtre salie d'eau rouillée et dont les vitres avaient des reflets d'acier et d'eau profonde. Cette image sans charme surgissait pourtant comme une injonction, un appel attendu depuis longtemps et il eut le désir de se lever en disant simplement : « Je m'en vais. » Du reste, Chauvieux comprit qu'il ne tarderait guère. Le prétexte lui serait fourni par quelque discussion avec le directeur de l'usine et sans qu'il eût à le vouloir de propos réfléchi. La chambre d'hôtel qui lui apparaissait ainsi n'était pas un souvenir. Il ne la reconnaissait pour aucune de celles qu'il avait habitées autrefois. C'était un fragment de son destin partiellement dévoilé. Le cours de son existence allait changer. Peut-être n'était-il pas libre de résister, de se retrancher, et il n'en avait du reste aucune envie. En quelques secondes, il entrevit toutes les raisons qu'il avait d'être d'accord avec cette décision du sort. L'amour ne le retiendrait pas. Une passion qui n'apporte à la vie rien de plus qu'une saveur et qui ne construit ni ne démolit rien ne lui semblait pas une chose très importante. Il serait délivré de Malinier qui verrait sans doute Élisabeth lui revenir et apporter quelque apaisement à son délire. Côté Lasquin, rien ne pouvait le retenir non plus. Depuis l'aventure, brutalement dénouée, de Micheline avec le boxeur écrivain, il n'avait point de plaisir à aller chez sa sœur. La maison de la rue Spontini était en proie à une anarchie sans joie et sans élan. Il y manquait un homme et peut-être eût-il été préférable que Milou vécût pour réaliser son dessein et supplanter Pierre Lenoir. Enfin, l'usine le dégoûtait. L'allégresse que manifestaient les ouvriers depuis qu'ils avaient obtenu satisfaction sur quelques points d'intérêt secondaire était pour lui un spectacle pitoyable et révoltant. Les responsables de cet enthousiasme dérisoire lui inspiraient un vif sentiment de rancune. Un soir qu'il rentrait chez lui, bouillant d'indignation, il s'était mis à écrire un livre qui commençait ainsi : *Article premier.* — Les ouvriers sont des esclaves. *Article deux.* — Leur condition d'esclaves ne résulte en aucun cas de la forme du gouvernement ou de la constitution de l'État, mais de l'obligation où ils se trouvent, pour manger, de fournir un travail triste et abrutissant. *Article trois.* — Les doctrines et les partis qui, non contents de passer sous silence ces vérités élémentaires, détournent l'attention des intéressés sur d'autres objets, trahissent la cause des esclaves... Élisabeth étant venue le rejoindre ce soir-là, il n'avait pas été plus loin, mais cette base de départ lui semblait solide. Peut-être écrirait-il la suite dans sa chambre d'hôtel. Le luxe féminin de l'appartement meublé par Lasquin était peu propice aux cogitations sévères et l'évidence lui empruntait un certain moelleux qui en atténuait la portée. Raison de plus.

Chauvieux se tourna vers Élisabeth avec un sourire très tendre qui la rassura. Elle lui demanda plusieurs choses, touchant leur amour, et chaque fois, il répondait par un oui chaudement soupiré. Il l'appelait sa vie, son âme, sa rosée, et il allait se déculotter lorsque le timbre de la porte d'entrée sonna.

— C'est mon jeune premier, dit-il, j'en ai pour dix minutes.

Après un temps d'épreuves qui était sans doute l'introduction classique au triomphe de l'amour, Bernard ne doutait pas qu'il dût être heureux bientôt. Les recherches de la police semblaient s'orienter décidément vers certains milieux de la boxe où fréquentait Milou et il n'était pas impossible qu'elle découvrît le meurtrier. Micheline n'était ni moins belle, ni moins pure qu'avant l'adultère. Après en avoir longuement débattu avec sa conscience, Bernard ne se reconnaissait pas le droit de la juger sévèrement. Cette défaillance d'une trop naïve jeune femme la rendait plus touchante encore et lui, il avait justement un grand cœur.

— Bonjour, monsieur Ancelot, dit l'oncle Chauvieux d'un ton enjoué, à peine agressif. Je suis charmé de vous voir. Vous venez sans doute me faire part de quelque nouveau projet?

— Non, il ne s'agit pas d'un nouveau projet. Je désire épouser Micheline. Nous nous sommes vus jeudi.

— En effet, hier soir, elle m'a parlé de cette rencontre. Elle ne m'a d'ailleurs pas dit qu'il ait été question de mariage. Micheline m'aurait-elle caché quelque chose?

— En aucune façon. Le sujet n'a même pas été effleuré.

Ils se tenaient debout au milieu d'une grande pièce qui était à la fois un salon et un bureau, avec des coins favorables aux tête-à-tête. Les mains aux poches, la tête en avant et les épaules légèrement remontées, dans une attitude qui retint l'attention de Bernard et éveilla en lui un souvenir encore incertain, Chauvieux fit quelques pas vers la fenêtre et pivota sur ses talons.

— Au fait, dit-il, pourquoi n'en avoir pas parlé d'abord à Micheline ? Vous voulez sans doute que je serve d'intermédiaire ?

— Mais non, je vous assure, protesta Bernard. L'idée ne m'en est même pas venue.

— Alors, pourquoi me prendre comme confident, moi qui suis pour vous un vieil homme ? Ne me dites pas que mon expérience peut vous servir. Un amoureux n'a pas besoin de l'expérience des autres. Mais j'y pense, peut-être n'êtes-vous pas sûr de votre amour et de votre désir d'épouser ? Non, ce n'est même pas ça. Je vois. Votre conscience a besoin de trouver un écho dans une autre conscience. Vous tombez mal, monsieur Ancelot. Je n'ai pas de conscience.

— Monsieur Chauvieux, vous exagérez. Le soir où nous avons dîné ensemble, vous m'avez parlé très longuement des devoirs de l'amitié.

— C'est vrai, j'ai été ignoble. Mais n'en parlons plus. Après tout, il ne s'agit pas de moi.

Passant et repassant devant Bernard, Chauvieux se mit à arpenter la pièce et ricana :

— On me dit que vous avez tué l'amant de Micheline. On en paraît même émue et touchée. On vous admire, quoi.

Vu de dos et à contre-jour, la silhouette un peu trapue de Chauvieux rappelait à Bernard celle de l'assassin. Elle finit même par s'ajuster parfaitement au souvenir qu'il en avait gardé.

— Je ne l'ai pas tué. J'en ai eu seulement l'intention. Mais je l'aurais certainement fait si un autre ne m'avait pas devancé.

— Admettons que vous l'ayez tué, dit Chauvieux. Ça ne change rien à l'opinion que j'ai de vous. N'allez pas croire que vous êtes une nature exceptionnelle parce que vous avez commis ou failli commettre un meurtre. Votre geste n'aurait de valeur que si vous étiez toujours prêt à tuer pour ce que vous aimez. Je ne suis d'ailleurs pas si exigeant. Personne ne souhaite autant que moi de voir divorcer Micheline, mais que ce soit pour épouser un garçon capable de l'étayer. Il n'en manque pas. Vous, malheureusement, vous n'avez aucun de ces défauts dont un seul suffit à ordonner une maison et à soumettre une femme. Vous n'êtes ni vaniteux, ni avare, ni méchant, ni envieux. Vos qualités ne sont pas de celles qui suppléent à ces déficiences. Vous êtes bon, honnête, sensible et, comme tous les gens n'ayant point de passion exigeante, vous vous posez, à propos de tout et de rien, mille petits problèmes de morale, d'autant plus délicieux qu'ils sont insolubles. Mais ce n'est pas ce qui peut donner de l'assiette à un couple. Vous voulez épouser une femme riche d'argent et de santé, et dont la conscience fonctionne comme le foie, à son insu. Elle est incapable de vous suivre dans vos petites débauches de scrupules. De votre côté, vous n'êtes pas né dans l'opulence et vous n'avez pas non plus la désinvolture qu'il faut pour accepter la richesse que vous apportera une femme. Vous vous sentirez gêné, vous vous direz : je n'aurais pas dû. Débats de conscience, remords, nervosité, langueur. Mais qu'est-ce qu'il a, qu'est-ce que je lui ai fait, se demandera Micheline. Bref, vous n'irez jamais du même pied.

Bernard ne protesta point contre ce qu'il jugeait être l'évidence. Il eut seulement un soupir qui était à la fois un acquiescement et un regret. Chauvieux lui mit les mains aux épaules et ajouta d'un ton paternel :

— Je ne ferai rien pour contrarier votre décision, mais croyez-moi, Bernard, et n'épousez pas Micheline. Quand votre stage sera terminé, vous irez aux colonies et vous trouverez là-bas exactement la vie qui vous convient. Vous jugerez les indigènes très supérieurs aux Européens et vous pourrez, tout votre content, avoir honte de vous et de la civilisation que vous représenterez. Et puis, songez à ce que sera votre départ. Avoir votre âge et s'embarquer pour un long voyage avec une grande douleur, est-ce que vous n'en avez pas l'eau à la bouche ? La Méditerranée, la mer Rouge, la mélancolie, les îles, les palmiers, le cœur meurtri, les Indes, les grands horizons, l'inconnu. Ah! vous n'êtes pas à plaindre.

Comprenant qu'on voulait l'embarquer, Bernard souriait, mais ne disait pas non. Ces évocations lui plaisaient. Il verrait, il réfléchirait. Il ne voulait pas faire le malheur de Micheline, mais tout de même, il l'aimait. C'était un joli débat de conscience et, en reconduisant le jeune homme à la porte, Chauvieux considérait qu'il avait gagné la partie.

En quittant la rue de Phalsbourg, Bernard rentra chez lui et se promit une délectable méditation. Les dames Ancelot n'étaient pas à la maison. Quelques minutes après son arrivée, un inspecteur de police se présentait à la porte et demandait à lui parler. C'était un homme d'une quarantaine d'années, qui semblait avoir une grande expérience de son métier. Bernard, plus calme qu'il n'aurait osé l'espérer, l'accueillit au salon. S'étant assuré que la bonne n'écoutait pas aux portes, le policier roula une cigarette et commença son interrogatoire. Où étiez-vous le tant, de telle à telle heure? Moulin de la Galette et rentré chez moi. On vous a vu rue Girardon, vers minuit. Possible, je ne connais pas la rue Girardon. Il y a longtemps que vous aviez vu la victime? Quelle victime? Ça va, ça va, faites pas la bête. Vous connaissiez la famille Lasquin? Un peu. Ah! oui, un peu, mais dites donc, vous vous mettez bien. Les Lasquin des usines Lasquin, rien que ça. Qu'est-ce qu'il faut voir. Un petit employé à mille balles, le père qui frise la prison et qui se fera pincer un jour. Et ça gratine dans les deux cents familles. A vous dégoûter d'être honnête. Plus de barrières, tout est mélangé. Les riches d'aujourd'hui, c'est comme les fromages trop faits, ça ne sait plus garder les distances. Et alors, avec laquelle couchiez-vous, la mère ou la fille? Monsieur ne veut rien dire. Monsieur est discret. Ne me regarde pas de cet air-là, tu veux bien? Des petits calicots marlous dans ton genre, il en faut beaucoup pour faire une bourrique comme moi. Ta gueule, fais pas le gentilhomme. Dis-moi plutôt pourquoi tu étais chez Chauvieux cet après-midi. Parce que ça me faisait plaisir. Tu te fous de moi ? C'est bon. Profites-en. A ton arrivée au dépôt, je serai là pour te dérouiller la gueule. Autre chose. Chauvieux était avec toi au Moulin de la Galette ? Non. Vous vous êtes retrouvés à la sortie ? Non. Aggrave pas ton cas, va, tu es fait. Si j'ai un conseil à te donner, c'est de me raconter gentiment comment ça s'est passé. Je t'offre une bonne chance de sauver ta tête. Vois-tu, j'aurais presque tendance à croire que ce n'est pas toi qui as étranglé la petite tante. T'as pas le physique de ça. On n'étrangle pas un boxeur avec des mains de pianiste. Tu vois, tu as tout avantage à te déboutonner. Alors, tu lui tenais les pieds pendant que l'autre lui serrait la vis. Tu ne veux rien dire ? tant pis pour toi. Réfléchis encore. Il n'y a de preuves que contre toi. Tu tomberas tout seul. C'est dommage. Tu n'es pas un dur de dur. Tu as de l'instruction, des bachots, les juges auraient pu avoir égard. Pense à la maman. Ça lui fera de la peine de te voir couper le cou. Tu t'entêtes ? J'insiste pas. A la revoyure.

Chez Chauvieux où il se fit conduire en taxi, l'inspecteur, trop sûr de lui, commit une erreur. Après quelques minutes d'interrogatoire, il lui parut que le patient se tenait sur une réserve timide et il eut si fort l'impression de l'avoir à sa merci qu'il crut pouvoir abuser de son avantage.

— J'aime autant vous prévenir, un alibi qui reposerait sur le témoignage d'une poule, ce serait comme rien. — De quelle poule parlez-vous ? — Je parle de la poule de votre beau-frère Lasquin, puisque vous l'avez prise en main... Ni ces paroles, ni le ricanement qui les accompagna ne firent perdre la tête à Chauvieux. Il était en possession de tout son sang-froid lorsqu'il envoya un coup de poing dans la figure de l'inspecteur. Il lui semblait obéir à une nécessité artistique, comme s'il plaçait une bonne réplique, la seule possible. Il eût aimé reprendre l'entretien, mais l'inspecteur en étant venu aux injures, il le traîna, pantelant et vociférant, jusqu'à la porte d'entrée et le jeta sur le palier.

— La police me soupçonne d'avoir assassiné Milou, expliqua Chauvieux à Élisabeth qui s'informait des causes de ce tumulte. Je viens d'affirmer très énergiquement mon innocence, mais ce genre d'argument peut paraître discutable.

— Mais comment la police peut-elle te soupçonner? c'est insensé!

— Pas tellement. Gardien de l'honneur de ma nièce, j'aurais étranglé son amant avec la complicité du jeune Bernard Ancelot qui tenait les pieds de la victime. Ce qui me contrarie, c'est que tu risques d'être mêlée à cette histoire. Dans cinq minutes, le policier va peut-être revenir en force. Il ne faut pas qu'il te trouve ici.

Pressée par Chauvieux, Élisabeth s'habilla et lui dit en le quittant : « Demain? » Il répondit non, ni demain, ni après, ni de la semaine. Plus tard. Elle voulut pleurer, dire que c'était affreux, mais il la poussa tendrement dehors.

L'inspecteur, la face douloureuse, avait un grand désir de vengeance. Il songea d'abord à revenir chez Chauvieux en compagnie de deux agents bien musclés, mais il avait conscience de n'avoir pas mené son enquête de façon irréprochable. D'autre part, le coup de poing l'avait impressionné et il n'était plus aussi sûr de la culpabilité de cet énergumène. Pour le cas où l'homme serait innocent, mieux valait ne pas donner trop d'importance à l'issue de ce premier interrogatoire. L'idée lui vint tout à coup qu'il pouvait, en attendant mieux, aller enquêter chez les Lasquin, où il trouverait l'occasion d'une vengeance discrète.

Pontdebois, qui venait de faire une visite dans le quartier, s'était arrêté rue Spontini et avait décliné l'invitation à dîner qui lui était faite. La corvée lui avait semblé au-dessus de ses forces. Jamais les Lasquin ne s'étaient montrés aussi dépourvus, aussi pauvrement bornés qu'en cette fin d'après-midi. Ni les événements politiques, ni l'actualité littéraire ne les intéressaient au moindre degré. De bons animaux, affectueux, gentils, mais fermés à clé aux choses de l'esprit. Un exemple entre cent : son grand roman, à paraître en octobre, faisait l'objet de toutes les conversations entre personnes un peu cultivées. Déjà les journaux en parlaient dans leurs échos. Chez les Lasquin, même pas question. Ils vous entretenaient de la mode, des poiriers du jardin, de leur amis Piédange, des compétitions sportives, de leurs petits soucis, mais du roman, pas un mot. Feu Lasquin n'était certes pas un aigle. Il avait du moins, avec un semblant de curiosité, quelques idées courtes, mais fermes, auxquelles il était possible d'accrocher la discussion. Belle fille, cette pauvre Micheline. De la grâce, de l'élégance, mais ces airs de langueur qu'elle affectait maintenant ne cachaient rien du tout. Pierre Lenoir, lui, était de plus en plus insignifiant. Employé de bureau, timoré et méticuleux, il semblait avoir perdu ce puéril, mais chaleureux enthousiasme de crétin sportif, qui pouvait à la rigueur passer pour une raison d'être. Quant à Mme Lasquin, rien de changé. Elle avait conservé cette innocence exaspérante qui l'empêchait de prendre contact avec la vie, ce qui expliquait à la fois son aisance à se mouvoir dans l'erreur et certaine nostalgie d'un monde violent et tourmenté que lui dérobait justement sa candeur. Pauvres gens. Pauvre famille. En aussi ennuyeuse compagnie, on ne faisait que perdre son temps et sans profit pour personne. Il était toutefois amusant de se dire que ces béotiens amorphes et incurieux étaient, par une ironie du sort, apparentés à Luc Pontdebois, l'écrivain si profond, si nuancé, commandeur de la Légion d'honneur à quarante-neuf ans et promis à l'Académie. Le rapprochement ne laissait pas d'être piquant.

L'inspecteur, imposant de correction et de dignité, fit assez bonne impression. Sa main gauche, gantée, tenait son deuxième gant qui ressemblait, raide et les doigts en l'air, à une main de justice. Il commença par rassurer son monde et s'excusa civilement, sur les nécessités de l'enquête, de devoir poser quelques questions. Tout en procédant à son interrogatoire, il sut faire apparaître, de façon discrète, mais claire, tout ce qu'il eût été souhaitable de laisser ignorer à Mme Lasquin, à Pierre Lenoir et à Pontdebois. Il n'obtint d'ailleurs aucun renseignement qui pût faire progresser l'enquête et partit avec la seule satisfaction d'avoir pris sur Chauvieux une première revanche.

Effondré à l'idée du scandale qui n'allait pas manquer de l'éclabousser et lui fermerait peut-être à jamais les portes de l'Académie, Pontdebois éclata en reproches furieux. Il jurait comme plusieurs charretiers et il disait aussi des mots très vilains. Il s'en prit d'abord à Micheline. Comment avait-elle pu, mille millions de tonnerres, coucher (oui, coucher) avec cette gouape, ce petit maquereau entretenu par un vieux pédéraste cacochyme ? Quand on se livrait à de pareils débordements, on avait au moins l'habileté de se cacher. Micheline, un moment confuse, se ressaisit et prit la chose de haut. Soudain très grande dame, le regard distant, la voix brève et assurée, elle signifia au cousin Luc qu'il n'avait nullement qualité pour apprécier sa conduite. Elle ne pouvait tolérer qu'il prît la liberté de lui faire des observations, quand bien même elle se jetterait dans les bras du chauffeur ou du jardinier. Pontdebois suffoquait. Nom de Dieu, ma situation, ma réputation, mes relations, mon œuvre, mon public. Mme Lasquin perdait sa peine à vouloir apaiser son courroux. Il se tourna contre Pierre Lenoir que toutes ces révélations semblaient avoir anéanti, et lui reprocha son aveuglement, son imbécillité et son inertie. Il n'eut d'ailleurs pas le temps de pousser son réquisitoire. Sans un mot, sans un regard, Pierre se leva et prit la porte. C'était décidé, il allait faire son baluchon et quitter immédiatement cette maison infâme, toute résonnante des fureurs lascives de sa triste épouse. Il n'en pouvait plus. Le sang déplorable des Lasquin avait tenu ses promesses. Fourvoyé dans une famille de satyres et d'hystériques, Pierre avait hâte d'en sortir.

Toutefois, lorsqu'il fut dans sa chambre, il différa son départ et prit simplement la résolution de divorcer. Assis sur son lit, il rêva un moment à sa liberté reconquise. Peu lui importait la rançon. Il ne tenait à rien de ce qui faisait l'ambition et le bonheur des gens de son milieu. S'il le fallait, il travaillerait de ses mains. Pourvu qu'il eût le moyen de s'entraîner régulièrement et de retrouver la forme, il serait heureux. Mais la vanité de son rêve d'évasion ne tarda pas à lui apparaître. Il n'eut qu'à imaginer l'accueil que feraient son père et son frère à sa résolution de divorcer. Un simple haussement d'épaules suffirait à l'enterrer. Il pouvait passer outre à leur volonté ou introduire sa demande en divorce sans les consulter, mais il s'agissait là de possibilités virtuelles qu'il n'envisageait même pas. L'idée de résister ou de se dérober était parfaitement absurde. La volonté paternelle était en lui comme une maladie installée. Il pouvait en évaluer les ravages et les déplorer, mais non pas s'y soustraire. Son projet de divorce, qui ruinerait les visées de son frère et de M. Lenoir, n'était donc qu'une chimère. A vrai dire, il n'oserait même pas leur en faire part. La vie allait continuer, infernale, écœurante. Pierre ouvrit un tiroir de commode, donna un coup d'œil à ses souliers de coureur, palpa le maillot de laine blanche, la culotte courte, et descendit pour le repas du soir.

Pontdebois (il restait dîner, ça allait sans dire) n'en finissait pas de développer les conséquences de la catastrophe qui s'abattait sur la maison. Il y aurait le procès, Chauvieux au banc des accusés, Micheline, sa mère, son mari, défilant à la barre des témoins. Dites, je le jure. Vous connaissiez la victime? Vous aviez des rendez-vous ? etc. Tout ça serait étalé dans les journaux, en première page, avec quel luxe de détails. Et peut-être qu'il lui faudrait déposer, lui aussi. Ce serait le bouquet. Au dîner, Pontdebois ne mangea presque pas, de plus en plus accablé par les perspectives qu'il découvrait sans cesse. Le calme des convives contribuait à l'exaspérer. Inconscients de la gravité de cette affaire, ils mangeaient de tous les plats et n'exhalaient pas le moindre rugissement de désespoir. Seule, Mme Lasquin laissait paraître quelque fébrilité, d'ailleurs insuffisante au gré de Pontdebois. Heureusement, il ne soupçonnait pas la véritable nature de cette émotion. Malgré son anxiété, Mme Lasquin ne pouvait se défendre d'un sentiment de griserie assez proche de l'allégresse. Elle n'avait rien à envier à la cuisinière ou à la comtesse Piédange. Le drame, qui n'avait jamais fait dans sa vie que des incursions furtives, renaissait vigoureux, touffu, compliqué, et s'installait solidement. Elle pleurait d'un œil, riait de l'autre et parfois, sans y penser, riait des deux.

— Je vous admire, Anna, disait le cousin Luc. Vous n'avez pas l'air de comprendre ce qui vous arrive. Pour peu que la dame Élisabeth Malinier soit inculpée de complicité, comme probable, c'est toute l'histoire de sa liaison avec Lasquin qui est rendue publique. Et naturellement, le ridicule se complique du fait que Chauvieux a succédé à son beau-frère dans les faveurs de cette garce. Quel linge sale, quel déballage. Ah! votre frère peut se flatter d'être un fameux imbécile. A son âge, se laisser prendre au manège d'une petite bonne femme, quelle pitié! Du reste assez quelconque, son Élisabeth.

— Vous la connaissez?

— Si je la connais! Mais c'est sur moi qu'elle avait d'abord jeté son dévolu avant de penser à ce pauvre Chauvieux. Elle s'est d'ailleurs très vite aperçue que je ne mordais pas à l'hameçon. Je ne suis pas si bête, moi. Et si, par impossible, l'aventure m'avait tenté, je me serais abstenu par respect pour la mémoire de mon cousin.

Chauvieux arriva vers la fin du repas. Il avait le visage reposé, l'œil clair, et sa voix ne trahissait aucune inquiétude.

— Je passais dans le quartier, dit-il. Je suis entré vous dire bonjour et prendre de vos nouvelles.

Pontdebois considérait avec une ironie féroce ce pitoyable minus ignorant de la menace suspendue sur sa tête.

— Alors, vous ne savez rien ?

— De quoi voulez-vous parler ? demanda Chauvieux aimablement.

Pontdebois ricana, puis tout d'une haleine et non sans un méchant plaisir, exposa la situation, fulmina des reproches, enchaîna sur la cour d'assises, le verdict, et ne s'arrêta qu'au bord de la guillotine.

— Et vous ne saviez rien !

— Mais si, je savais, sauf, je dois le dire, ce qui est du procès. J'ai eu cet après-midi la visite d'un inspecteur.

— Alors ?

— J'ai protesté de mon innocence, naturellement. Que pouvais-je faire de mieux ? J'imagine que vous n'agirez pas autrement quand les soupçons de la police se porteront sur vous.

— Sur moi ? balbutia Pontdebois. Vous pensez que moi aussi...

— Certainement. Peut-être même êtes-vous beaucoup plus exposé que moi qui ne connaissais pas la victime. Non seulement vous avez connu ce jeune homme au bord de la mer, mais vous l'avez reçu chez vous.

— Il venait me soumettre ses élucubrations...

— Justement. Évariste Milou était un homme de lettres. Les juges penseront sans doute que vos griefs se compliquaient d'une inimitié littéraire. Du reste, votre cas est loin d'être désespéré. Je suis persuadé qu'on vous acquittera au bénéfice du doute, à moins que vous n'ayez laissé des traces...

— Des traces ? mais enfin, voyons, ce n'est pas moi qui l'ai tué, tout de même !

— Ah? dit Chauvieux. Je croyais.

Le cousin Luc était livide et tout le monde était bien content. Micheline regardait son bon oncle avec vénération en lui dédiant un discret sourire de gratitude et de tendresse.

— Ce qui n'est pas moins fâcheux pour vous, reprit Chauvieux, c'est que la victime soit un pédéraste. Les écrivains ont tous plus ou moins la réputation de l'être, surtout quand ils arrivent à un certain âge. De là à penser que la jalousie a pu être un mobile supplémentaire, il n'y a qu'un pas. Heureusement, de ce côté-là, je suis à peu près tranquille, puisque la police connaît ma liaison avec Élisabeth.

— Mais j'ai une maîtresse, gémit Pontdebois. J'ai une maîtresse.

La conversation en était là lorsque Bernard Ancelot arriva à son tour. Il souhaitait faire croire qu'il venait comme par hasard et il était décidé à ne rien dire des soupçons qui pesaient sur lui, mais tout en lui trahissait un trouble profond. Micheline fut gênée de le voir en cet état. Le tremblement de sa voix, l'extrême nervosité qui paraissait dans ses gestes et sur son visage, firent naître en elle le soupçon qu'il existait entre eux deux une appréciable différence de qualité. Toutefois, il conservait à ses yeux son prestige d'amoureux passionné jusqu'au meurtre. Pontdebois, tout à sa frayeur, fut un moment avant de s'aviser de la présence du jeune homme.

— Qu'est-ce qu'il vient faire ici, cet animal? s'écria-t-il. Alors que la police surveille probablement la maison. Elle va croire à un conseil de guerre.

— En effet, dit Chauvieux, mais pourquoi s'en étonnerait-elle? Il est bien naturel que les trois assassins présumés se consultent.

Bernard, avec des précautions qui visaient à ménager la susceptibilité de Pierre Lenoir, résuma l'interrogatoire de l'inspecteur. Pontdebois, la tête dans ses mains, écoutait à peine et pétrissait son front avec désespoir. Soudain, découvrant son visage, il se mit à rire aux anges et chacun put croire que cette belle intelligence sombrait dans la folie, car il prononça, toujours riant et d'une voix chantante :

— Sauvé, mon Dieu. Je vais me faire couper les cheveux.

XIX

Chacun connaît sa barbe mieux que personne et chacun la traite comme il la connaît. Vous avez la barbe qui est plus dure à certains endroits ou bien, par ici, elle est mal plantée, ou alors la peau est plus délicate. Qui c'est qui peut le savoir mieux que vous ? Pas plus moi qu'un autre. Je sais mon métier, affaire entendue, mais il y a quand même des choses qui m'échappent. Nécessairement. C'est ce que bien du monde ne veut pas comprendre. Je vous suppose un individu avec une barbe qui se défend. Il a essayé de se raser, il n'est arrivé à rien de bon. Fatalement. Mais mon individu ne s'est pas demandé la raison pourquoi. C'est pourtant bien simple. Mettez-lui des bons outils en main, n'est-ce pas, et voilà sa barbe qui fond sous le rasoir. Et un coiffeur ne fera pas mieux, ni même aussi bien. Vous allez juger que ce n'est pas à moi de dire ces choses-là. Nous sommes d'accord, M. Pontdebois. D'un autre côté, j'estime que la vérité est la vérité. Chacun a son caractère à soi. Le mien, c'est de regarder les choses en face et historiquement. Quand je vois qu'il pleut, moi je dis qu'il pleut, et vous ne me ferez pas revenir sur ma déclaration pour tout l'or du monde, même en m'offrant l'apéritif. Vous saisissez ma thèse, monsieur Pontdebois ? Remarquez, ce n'est pas ce qui m'empêche de comprendre les situations délicates. Quand vous me dites que votre famille se trouve d'être mêlée dans une vilaine affaire, je commence par garder mon sang-froid. Maître de moi, le regard impassible. Vous ne saurez jamais ce qui se passe en moi. Et d'abord, j'examine le côté moral de l'affaire. J'estime que la morale est un principe à la base de toutes choses. Ma position est donc la suivante, c'est que la vie humaine est sacrée. D'où je me conclus qu'un individu n'a pas le droit d'en tuer un autre. Mais si je réfléchis en profondeur, je m'aperçois qu'historiquement parlant, la situation est particulière. D'un côté, la victime, un voyou et un fainéant qui vivait aux crochets d'un vieux. De l'autre, une famille rangée, ayant ses aspirations légitimes et sa dignité. Notez bien que je ne dis pas de mal des pédérastes, au contraire. Je suis pour la liberté d'opinion. Chacun prend son plaisir où il le trouve. L'essentiel est d'avoir sa conscience pour soi. Et je ne me laisse pas non plus éblouir par le fait de la richesse. Quand on a l'expérience de la chose vécue, on est revenu de bien des préjugés. Riche ou pauvre, c'est bien pareil. Je vous en parle savamment. Bien souvent, parmi nos clients, il en vient, ce n'est pas le gratin. Des individus pas lavés, du linge sale, et des odeurs, ah! les cochons. Une coupe de cheveux et ça s'en va. Nous, n'est-ce pas, le vrai bénéfice, c'est surtout dans les suppléments. Mais eux, pensez-vous, la friction, le shampooing, ils ne connaissent pas. J'en arrive des fois à me demander si le peuple mérite bien toute l'affection que je lui prodigue. Entre nous, allez, il n'est guère intéressant. Pour vous en revenir à notre affaire, j'examine la question en toute impartialité en me plaçant d'un point de vue social et humain et je prends mes responsabilités en conséquence. Voyez-vous, ce qui fait ma force, c'est que je n'hésite jamais devant mes responsabilités. Quand une fois je me suis décidé librement et en connaissance de cause, ma décision est irrévocable. Soyez tranquille, monsieur Pontdebois, le ministre de la Justice sera chez moi ce soir et votre affaire sera classée. Après tout, il ne fera que son métier de ministre. La justice marche bien sans lui. S'il n'était pas là, justement, pour l'arrêter de temps en temps, à quoi il servirait, je vous demande? Ah! tous ces ministres... Ce n'est pas pour en dire du mal, mais depuis que je gouverne la France, j'ai appris à les connaître. A les prendre un par un, remarquez, c'est tout bons garçons et pas maniérés pour un sou. Vous en avez même qui sont drôles. Leur défaut, c'est d'être mous, craintifs, et à côté de ça, nerveux, impulsifs. Tenez, je pense à la discussion qu'on a eue hier soir sur la question de dévaluer... A propos, elle est décidée, la dévaluation. C'est pour dans huit jours. Si vous voulez prendre vos précautions, monsieur Pontdebois, c'est le moment. Me remercier? Pensez-vous, mais de rien. Vous êtes un client, c'est bien naturel. Oui, à deux heures du matin, ils étaient là sept ou huit dans ma salle à manger à hésiter et à se tâter sur la question de savoir s'il fallait dévaluer. Ils auraient voulu, mais ils n'osaient pas, ils avaient peur des réactions. Pendant ce temps-là, ma femme avait fini par se coucher. Mais allez dormir avec le raffut qu'ils faisaient, pas moyen. C'était le bruit des voix, le bruit des chaises, ou bien des pas dans le vestibule, ou Vincent Auriol qui vous manœuvrait la chasse d'eau. Ma femme avait beau taper dans la cloison, ils ne l'entendaient pas seulement. Moi, de voir qu'ils n'en sortaient pas, à la fin la colère m'empoigne. J'attrape la bouteille, je vide le restant dans les verres. Ce n'est pas tout ça, que je leur fais, on ne va pas rester ici toute la nuit. Vous, encore, ça vous est égal, vous pouvez vous lever à midi, mais moi, j'ai mon magasin à ouvrir à sept heures. En conséquence, je décide la dévaluation. Eh bien, monsieur Pontdebois, vous me croirez si vous voulez, mais mes gaillards étaient tout heureux. Ils n'attendaient que ça, voyez-vous, la décision du chef. Remarquez, cette dévaluation, ce n'est pas une mauvaise chose. Bien sûr, vous me direz, le pouvoir d'achat des masses se trouve diminué. Ce que j'ai donné aux ouvriers d'un côté, je leur enlève de l'autre. Bon. Je vous l'admets. Seulement il y a une façon de présenter les choses, et les ouvriers n'y verront que du feu. Ensuite de ça, il y a certains abus qui vont prendre fin. Ma femme me le disait encore tout à l'heure en rentrant du marché, c'est scandaleux ce qu'on peut voir depuis le relèvement des salaires. A présent, l'ouvrier se nourrit comme tout le monde. Il n'y a rien de trop cher pour lui. C'est du melon, c'est du poulet, du vin bouché. Je n'ai pas besoin de vous le dire, monsieur Pontdebois, je suis pour le bien-être des classes laborieuses, mais quand même, il y a des limites. Non, de ce côté-là, il n'y a vraiment pas de regrets à avoir. Et puis enfin, la dévaluation va permettre à certaines personnes de gagner de l'argent sans faire tort d'un sou à quiconque. Je vous prends par exemple mon cas. Ne croyez pas que la politique m'enrichisse. Ce n'est pas mon genre. Question de dignité, n'est-ce pas. J'ai mis mon intelligence au service du pays, mais je n'ai pas voulu y gagner la moindre des choses. Je suis l'homme intègre. Tel je suis entré dans l'Histoire, tel j'entends y rester aux yeux de l'observateur impartial. A côté de ça, quand l'occasion se présente d'arrondir honnêtement mes économies, je ne suis pas en retard pour en profiter et c'est légitime. Du reste, si l'expérience réussit, je n'hésiterai pas à faire une autre dévaluation. Et l'expérience, je suis convaincu qu'elle va réussir. On prévoit déjà que certaines sociétés et certains groupements, sans parler des particuliers, vont réaliser des dizaines et des centaines de millions de bénéfices. C'est un joli résultat, n'est-ce pas. Au fond, ça n'a rien de surprenant. Dans un pays comme la France, il y a toujours de la ressource. Surtout que le Français, il n'y a pas un peuple au monde qui soit aussi débrouillard que lui. Improvisateur, voilà le Français. Il s'adapte spontanément. C'est son tempérament et sa nature. Je vois bien ce qu'il en est par moi-même. Quand arrive le soir, après une journée de travail à rester debout sur mes jambes, je suis fatigué à n'en plus pouvoir. Pas plutôt que j'ai dîné, je m'endors sur ma page sportive et j'ai beau me faire des reproches et me dire que le destin de la France est entre mes mains, c'est plus fort que moi. Et pourtant, s'il s'amène un ministre me consulter, qu'il s'agisse de la Marine, des Finances ou de l'Éducation nationale, je suis toujours prêt. Souvent, on vient me consulter sur des affaires que j'en ai à peine entendu parler. Bien entendu, j'ai mes conceptions sur toutes choses, mais je ne suis pas non plus un dictionnaire. N'empêche. Au moment de répondre, ça me vient tout seul, sans même que j'aie eu besoin de réfléchir et c'est presque toujours ce qu'il fallait dire. Comment expliquez-vous ça ? Vous me direz que la pratique de mon métier y est pour beaucoup. C'est vrai que l'habitude du client donne de la conversation. Je n'en disconviens pas. Mais le naturel y est pour beaucoup. Français cent pour cent, débrouillard et primesautier, voilà mon fond. Avec ça, il ne faudrait pas se figurer que toute ma politique est improvisée. Ce serait une erreur grossière. Quand vous gouvernez un empire, ce qui compte justement, c'est la chose de prévoir. On n'imagine pas tout le travail. Vous me verriez à de certains moments et même pendant les repas, je reste des dix minutes, un quart d'heure, sans desserrer les dents. Ma femme me parle, je ne l'entends pas. J'ai l'esprit ailleurs. Je médite, quoi. Et j'ai de quoi faire, vous pouvez me croire. Le Français moyen ne se doute pas, mais il y a des problèmes de toutes sortes. Prenons par exemple la politique extérieure. Ce n'est pas si simple que ça en a l'air. Pensez à toutes les nations qui existent rien qu'en Europe : la Russie, l'Italie, l'Allemagne, l'Angleterre, l'Espagne. Je vous parle des principales, il y en a bien d'autres qu'on ne sait pas. Avec l'Angleterre, ça va tout seul. Le pas de Calais est là pour faire la liaison. Avec la Russie c'est les communistes, naturellement. L'Allemagne, pas question, je l'ignore, et l'Italie, ça va sans dire. L'Espagne, c'est Front populaire comme chez nous. Vous voyez, on s'en fait un monde et au fond, ce n'est pas tellement compliqué. Il n'y a qu'à laisser aller et voir venir. Si maintenant vous passez aux colonies, c'est un peu la même chose. Je me rappelle...

Tiens, voilà *Paris-Midi* qui arrive. Si vous voulez jeter un coup d'œil, monsieur Pontdebois? mais vous n'êtes pas dans votre aise pour lire le journal. Vous savez, il n'y a rien de nouveau. Ah! pardon, qu'est-ce que je vois? on parle justement de votre affaire. *Le crime de la rue Girardon. Arrestation du meurtrier qui fait des aveux complets. Cette nuit, dans un établissement de Montmartre, la police procédait à l'arrestation d'un dangereux repris de justice du nom de Victor Leblanc qui se livrait au trafic des stupéfiants. Trouvé en possession d'un livret de caisse d'épargne au nom d'Émile Lanoire qui fut assassiné rue Girardon dans la nuit de lundi à mardi, Leblanc refusa d'abord d'en expliquer la provenance. Habilement interrogé, il finit par reconnaître qu'il avait étranglé le malheureux garçon après s'être posté aux abords de son domicile. A en croire l'assassin, la jalousie aurait été le seul mobile du crime. Leblanc avait appris récemment que son amie Lina R... connue dans un certain milieu sous le nom suggestif de Nana-les-grosses-fesses, l'avait trompé, quelques mois auparavant, en compagnie du jeune Milou Lanoire. La victime...* Eh bien, voilà une bonne nouvelle. Vous pouvez dormir sur vos deux oreilles, monsieur Pontdebois. Oh! de toute façon, vous étiez tranquille. J'aurais fait le nécessaire. Mais c'est quand même plus agréable pour vous de voir les choses s'arranger comme ça. Tant qu'à être innocent, il vaut mieux l'être tout à fait. Pour ma part, je n'en suis pas fâché non plus. Ça me dispense de faire venir le ministre chez moi. Au moins, je vais pouvoir disposer de ma soirée tranquillement. Si je ne vais pas au cinéma, j'en profiterai pour méditer. J'ai encore pas mal de choses à voir de près. Dans une grande nation, c'est un peu comme dans un magasin, vous avez toujours à faire. Voyez donc, en ce moment, je m'occupe des réformes de structure. Ce n'est pas rien, je vous assure. Il s'agit d'abord de prévoir l'avenir. Un exemple pris sur le vif, la question du travail. Si vous interrogez un individu qui voit les choses d'un point de vue superficiel, il vous dira, le travail, c'est le travail, quarante heures et congés payés. Mais moi qui suis au pouvoir, je vous réponds : halte. Nécessairement. Je connais le dessous des cartes et leur valeur intrinsèque. Je peux vous dire en toute certitude que l'industrie française est fichue et qu'elle n'en a plus pour longtemps. Naturellement, mes paroles vous plongent dans une stupéfaction profonde. Mais savez-vous ce que mes ministres me disaient hier soir? que dans sept ou huit ans il y aurait en France cinq millions de chômeurs. Vous voyez d'ici la gravité du problème. Je m'empresse de vous rassurer en vous disant qu'ils ont leur solution toute prête et j'ajoute que j'ai la mienne aussi. C'est mon rôle. Si je n'avais pas une solution en réserve, je ne serais pas un vrai homme d'État. Leur idée à eux, c'est de faire la guerre avant qu'on soit en pleine catastrophe. Remarquez, ce n'est pas bête. Une guerre, ça occupe toujours du monde et ça distrait l'opinion. Mais moi, à vous parler franchement, ce n'est pas une chose qui rentre dans ma conception de la vie. Ma thèse directrice, c'est que quand il arrive une catastrophe, le meilleur est encore de s'en arranger. Vous saisissez ma pensée? Je prends le taureau par les cornes et au lieu de lutter contre le chômage, je l'organise. Me voilà donc avec mes cinq millions de chômeurs. D'abord, je reste en possession de tout mon sang-froid. Je les regarde avec un sourire indéfinissable et je me pose la question suivante : Quelle est la chose essentielle? Et je me réponds du tac au tac : la chose essentielle, c'est que mes chômeurs soient heureux et qu'ils ne gênent personne. Pour ce qui est d'être heureux, il suffit de leur appliquer un programme rationnel et bien au point. Le mien se divise en cinq paragraphes : le logement, la nourriture, la boisson, l'argent de poche et la distraction. Le logement, c'est bien simple. Pendant la belle saison, ils font du camping et en hiver je les envoie à la montagne où ils se construisent des huttes en neige. Passons à la nourriture. Je décide que chaque chômeur élèvera une vache, un bœuf, un mouton et trois poules. Remarquez que ça ne le gêne en rien. Supposez un chômeur en villégiature au bord de la mer. Pendant qu'il prend son bain de soleil, les animaux broutent sur la plage sans qu'il ait besoin de s'en occuper. Voilà donc un homme qui se nourrit sur ses bêtes sans bourse délier. Et maintenant, la boisson. Sur les quinze litres de lait par jour que lui fournit sa vache, le chômeur en réserve quatre pour le beurre et les entremets. Les onze litres restants, il les échangera de façon à obtenir ses cinq litres de vin, ses quatre apéritifs et ses deux digestifs. Cinq et quatre neuf et deux onze. Voilà donc son minimum de boisson assuré. Vous voyez comme tout s'agence, monsieur Pontdebois ? Organiser, c'est ça. Organiser, c'est réfléchir et ne jamais perdre de vue les réalités. Ne pas oublier non plus qu'entre la théorie et la pratique, il y a un abîme. Et j'arrive au paragraphe quatre, celui de l'argent de poche. Là, je prévois cinq francs par jour et par tête. Vous allez m'objecter l'argument suivant, c'est que cinq millions de chômeurs à cent sous, ça fait vingt-cinq millions. En apparence, vous aurez raison. En apparence. Parce que moi, je vais vous rétorquer à mon tour en vous annonçant que cet argent-là ne coûtera rien à personne. Comment je m'y prends ? C'est bien facile. J'augmente tous les salariés de cinq francs par jour et je retiens la somme sur leurs payes. Le tour est joué, j'ai fait des heureux sans faire des mécontents. C'est ce que j'appelle gouverner avec tact. Reste à présent le chapitre le plus délicat, celui de la distraction. J'ai besoin de faire appel à toute ma psychologie. C'est compréhensible. Si vous avez la prétention de distraire le Français, il faut d'abord le connaître. Le Français, quand on le regarde de près, il est, avant toute chose, ingénieux et spirituel. Mettez-lui un morceau de fer-blanc dans les mains, il n'aura pas son pareil pour bricoler. Et tout finit par des chansons. Ensuite de ça, le Français aime qu'on lui fasse des compliments. Il y est habitué, n'est-ce pas. Aussi, pour commencer la journée du chômeur, ma radio d'État lui envoie chaque matin le discours qui convient.

Chômeurs, que je leur dis, vous êtes l'orgueil de la France, le monde entier vous regarde avec admiration, et cætera. Voilà mes cinq millions de chômeurs remontés, bien frais, bien dispos. La matinée se passe à causer politique et à bricoler. N'oubliez pas que j'organise chaque semaine un concours du bricoleur le plus ingénieux. Après, arrive l'heure du déjeuner. La plus franche gaieté règne pendant le repas. Et l'après-midi, c'est le sport. Là, je fais un gros effort. Tous les jours, de deux heures à cinq heures, mes chômeurs assisteront à un match de football ou de rugby entre les grandes équipes de France et de l'étranger. Présence obligatoire. Et je ne me contente pas de ça. Les journaux auront une double page sportive avec illustrations et photos en couleurs, de façon que l'après-midi se termine comme elle a commencé et que l'heure de l'apéritif se déroule dans une atmosphère de libre discussion consacrée au sport. En fin de journée vient le dîner, la T. S. F. en famille, la belote, ou encore le cinéma. Là aussi, il y aura bien des petites choses à mettre au point, mais je m'en occuperai dans un avenir ultérieur. Le principal est d'avoir mis sur pied un plan rationnel et objectif. Voyez-vous, monsieur Pontdebois, ce que je veux ce n'est pas seulement que mes cinq millions de chômeurs ne gênent personne. Mon ambition, ce serait que leur sort fasse envie à ceux qui travaillent. Ce serait d'insuffler à chaque citoyen français le désir d'être chômeur. Je suis pour l'idéal, moi. Mon idéal personnel, c'est de faire de la France un paradis terrestre où l'homme n'ait plus rien d'autre à faire que de bien manger, bien boire et s'amuser. La France doit montrer au monde le chemin du bonheur. La France a une mission à remplir. La France doit continuer à être éternelle et rester à l'avant-garde. Je la conduirai sans faiblir sur la route de sa destinée. Un shampooing à l'huile, monsieur Pontdebois ? Je ne faillirai pas à ma tâche. Vous me direz, ce n'est pas facile. D'accord. Je ne me dissimule pas non plus les difficultés insurmontables qui jalonnent le problème. Je m'attends à ce que mes cinq millions de chômeurs me donnent pas mal de fil à retordre. N'oublions pas que le Français est frondeur de tempérament. Vous n'y pouvez rien. Chaque peuple a son caractère. L'Anglais n'est pas intelligent, l'Allemand est lourd, l'Espagnol est fier, l'Italien est sournois, le Russe est rêveur. On ne va pas contre sa nature. Le Français, lui, il est frondeur. C'est bien ce qui fait la difficulté d'organiser le chômage. Pas plutôt qu'ils s'apercevront qu'on s'occupe de les rendre heureux, mes chômeurs voudront à toute force travailler. Histoire de fronder, simplement. Vous verrez ce que je vous dis, monsieur Pontdebois. Mais tant pis pour eux, n'est-ce pas. J'aurai fait tout mon devoir. Je me serai dépensé sans compter au-delà des limites humaines. En tout cas, soyez tranquille. Si cette solution-là n'est pas possible, il reste l'autre. Évidemment, la guerre est un fléau terrible. Je ne vous conteste pas là-dessus. Mais une guerre victorieuse, ça arrange tout de même bien des choses. Et puis, le Français ne déteste pas ça. Il y trouve des occasions de boire. Remarquez qu'au fond, il boit moins que chez lui. S'il arrive à s'envoyer ses trois litres de vin dans la journée, c'est tout le bout du monde. Seulement, il les boit un quart par ici, un autre par là, des fois en cachette, et finalement, il se figure qu'il a pompé toute une barrique. Mais c'est ces illusions-là qui vous font le moral d'une armée. C'est justement ce que je disais l'autre soir à ces messieurs du haut commandement quand ils sont venus pour me consulter. Des gens bien aimables, ces grands chefs, ayant des manières et de l'éducation. Pendant qu'on trinquait, j'ai remarqué qu'ils tenaient tous le petit doigt en l'air, bien détaché des autres doigts. C'est un détail, vous me direz. Affaire entendue, mais c'est à des riens comme celui-là qu'on reconnaît des gens qui ont vécu. Je vous dirai même qu'en un sens je les trouvais presque trop bien élevés. A la conférence que je vous parle, il était venu un ministre. Eh bien, les grands chefs ne savaient pas comment se tenir pour lui plaire. C'étaient des sourires, des risettes, des courbettes, des petits compliments et des mots gracieux à n'en plus finir. Et le ministre avait beau les traiter du haut en bas, ça ne les décourageait pas, au contraire. Même quand il leur tournait le dos, les autres continuaient à lui faire les yeux doux. Moi, j'en avais de la peine pour eux, figurez-vous. Parce qu'au fond, c'est tous des braves gens. Sur bien des points, ils ont les mêmes opinions que vous et moi. Je ne vous dirai pas qu'ils sont antimilitaristes, mais il ne faudrait pas les pousser beaucoup. La guerre, pour eux, c'est une chose immorale qui les blesse à l'endroit de la conscience. Le sang versé leur fait horreur. En somme, ils sont comme tout le monde, pour le bon droit et la morale. Je vous dis, des braves gens. Ce qui leur manquerait, ce serait plutôt d'avoir des idées, mais maintenant qu'on travaille ensemble, je suis là pour leur en fournir. N'ayez pas peur, monsieur Pontdebois, quand la chose en question éclatera, le drapeau sera en état de faire face à toute éventualité. Vous pouvez avoir confiance, parce que moi, dès maintenant, je m'occupe de penser à un plan.

ŒUVRES DE MARCEL AYMÉ

ROMANS

ALLER RETOUR.
LES JUMEAUX DU DIABLE.
LA TABLE AUX CREVÉS.
LA RUE SANS NOM.
BRULEBOIS.
LE PUITS AUX IMAGES.
LE VAURIEN.
LE NAIN.
LA JUMENT VERTE.
MAISON BASSE.
LE MOULIN DE LA SOURDINE.
GUSTALIN.
DERRIÈRE CHEZ MARTIN.
LES CONTES DU CHAT PERCHÉ.
LE BŒUF CLANDESTIN.
TRAVELINGUE.
LA BELLE IMAGE.
LE PASSE-MURAILLE.
LA VOUIVRE.
LE CHEMIN DES ÉCOLIERS.
LE VIN DE PARIS.
URANUS.
EN ARRIÈRE.
LES TIROIRS DE L'INCONNU.

THÉATRE

LES OISEAUX DE LUNE, quatre actes.
LA MOUCHE BLEUE, quatre actes.
LOUISIANE, quatre actes.
LES MAXIBULES.
LE MINOTAURE.

LIVRES POUR ENFANTS

LES CONTES DU CHAT PERCHÉ,
albums illustrés, volumes séparés

LE MAUVAIS JARS.
LA BUSE ET LE COCHON.
LE PAON.
LE CERF ET LE CHIEN.
LE MOUTON.
LE PROBLÈME.
LES CHIENS.

en recueils collectifs

LES CONTES DU CHAT PERCHÉ *(Le Loup – Le Chien – L'Éléphant – L'Ane et le Cheval – Le Canard et la Panthère).*
AUTRES CONTES DU CHAT PERCHÉ *(Les Vaches – La Patte du Chat – Les Cygnes – Les Boîtes de peinture – Les Bœufs).*
DERNIERS CONTES DU CHAT PERCHÉ *(Le Mauvais Jars – Le Paon – Le Problème – Le Mouton – Le Cerf et le Chien).*

ÉDITIONS ILLUSTRÉES

LA JUMENT VERTE, illustrée par Chas Laborde.
TRAVELINGUE, illustré par Claude Lepape.
LA VOUIVRE, illustrée par Grau Sala *(Coll. Le Rayon d'Or)*.
CONTES ET NOUVELLES, illustrés de trente-deux aquarelles de Gus Bofa, gravées sur bois.
ROMANS DE LA PROVINCE, illustrés de trente-deux aquarelles, par P. Berger, Gus Bofa, Yves Brayer, Fontanarosa, R. Joel, Rémusat.
ROMANS PARISIENS, *suivi d'*URANUS, illustrés de trente-deux aquarelles, par Gen Paul, Vivancos, B. Kelly, Demonchy, J. D. Malches, Perraudin, Déchelette.

Chez d'autres éditeurs

VOGUE LA GALÈRE (théâtre) *(Grasset)*.
LUCIENNE ET LE BOUCHER (théâtre) *(Grasset)*.
CLÉRAMBARD (théâtre) *(Grasset)*.
LE CONFORT INTELLECTUEL *(Flammarion)*.
SILHOUETTE DU SCANDALE *(Le Sagittaire)*.
LA TÊTE DES AUTRES (théâtre) *(Grasset)*.

ACHEVÉ D'IMPRIMER LE
31 MAI 1968 SUR LES
PRESSES DE L'IMPRIMERIE
BUSSIÈRE, SAINT-AMAND (CHER)

— N° d'édit. 13519. — N° d'imp. 1989. —
Dépôt légal : 2e trimestre 1968.
Imprimé en France

Randall Library – UNCW
NXWW
PQ2601.Y5 .T7 1941
Ayme / Travelingue
3049002867769